Rosella Bozzone Costa, Chiara Ghezzi, Monica Piantoni

NUOVO CONTATTO *A1*

Corso di lingua e civiltà italiana per stranieri

Ristampe

11	10	9	8	7
2022	2021	2020	2019	2018

ISBN 9788858308608

Nonostante la passione e la competenza delle persone coinvolte nella realizzazione di quest'opera, è possibile che in essa siano riscontrabili errori o imprecisioni. Ce ne scusiamo fin d'ora con i lettori e ringraziamo coloro che, contribuendo al miglioramento dell'opera stessa, vorranno segnalarceli al seguente indirizzo:

Loescher Editore
Sede operativa
Via Vittorio Amedeo II,
18 10121 Torino
Fax 011 5654200
clienti@loescher.it

Loescher Editore Divisione di Zanichelli Editore S.p.A.
opera con Sistema Qualità certificato secondo la norma
UNI EN ISO 9001.
Per i riferimenti consultare www.loescher.it

Coordinamento editoriale: Laura Cavaleri
Redazione: Marcella De Meglio (studio zebra)

Progetto grafico: Eidos - Torino
Realizzazione tecnica: Les Mots Libres - Bologna
Ricerca iconografica: Liliana Maiorano
Disegni: Marco Francescato, Rino Zanchetta
Cartografia: Studio Aguilar - Milano

Stampa: Sograte Litografia s.r.l.
Zona Industriale Regnano
06012 Città di Castello (PG)

Le Autrici ringraziano le colleghe Elena Scaramelli e Luisa Fumagalli per aver condiviso con passione, competenza e costanza la progettazione e l'elaborazione della nuova edizione del volume.

Referenze fotografiche:

p. 8: © HLPhoto /Shutterstock.com; Shutterstock.com; © 1969 Franco Pinna; mewfactory.files. wordpress.com; atlantedellarteitaliana.it; Shutterstock.com; Shutterstock.com; ©M. Unal Ozmen/ Shutterstock.com; ©VSL/Shutterstock.com; Shutterstock.com; ©Eugenio Marongiu/Shutterstock. com; Piaggio 2012; Alberto Meda & Paolo Rizzatto, 1998 / Luceplan; the100.ru; p. 9: Shutterstock. com; © Helder Almeida/Istockphoto.com; Thinkstock.com; © Stockbyte/Thinkstock.com; Thinkstock. com; p. 11: © AntonioGuillem/Thinkstock.com; © Tetra images/Thinkstock.com; Shutterstock. com; p.13 d,c,s: © Dmitriy Shironosov/Thinkstock.com;© Ljupco/Yhinkstock.com; © michaeljung/ Shutterstock.com; P. Mayall, 2008; Shutterstock:com; p.14: G.Chieregato, 2001/»TV sorrisi e canzoni» n.43, ottobre 2001; 2010 ilgiornaledelfriuli.net; G. Neri, 1992; p.15: ©Natursports/Shutterstock. com; Thinkstock.com; Thinkstock.com; p.16;Thinkstock.com; ©AntonioGuillem/Thinkstock.com; Thinkstock.com; p. 17: «D. La republica delle donne», n. 419, 25/09/04; p.18: Icponline; ©michaeljung/ Thinkstock;BananaStock Ltd; p.19: Thinkstock.com; p. 20: nelparmense.com; styleclicker.net; © giornaledelladanza.com;©G.Ricci, 2008 / creativecommons 2.0; cinerumor.com; © Featureflash/ Shutterstock.com; ©1964 Walt Disney e Bill Walsh/BUENA VISTA INTERNATIONAL ITALIA - WALT DISNEY HOME VIDEO; ©Laszlo Szirtesi/Shutterstock.com;p.21: Biblioteca Reale, Torino; Zoran Karapancev/Shutterstock.com; p.23: Bill Pugliano/Getty Images; storage0.dms.mpinteractiv.ro; © C.Cabrol / Kipa / Corbis; Contrasto; «L'Espresso», n. 49, 05/12/ 2002; p.26: endemol.it; G.Chieregato, 2001/»TV sorrisi e canzoni» n.43, ottobre 2001; © Photo Works/Shutterstock.com; guidilocurcio.it; realityshow/blogosfere.it; p.29; ©Alexandr Stepanov/123rf.com; ©Antonio Guillem/123rf.com; p. 30: ©Tupungato/Shutterstock.com; ©federicofoto/Shutterstock.com; farmaciamara.it; Shutterstock. com; ©d0minius/Thinkstock.com; Wikimedia Commons; ©Rostislav Glinsky / Shutterstock. com; ©ValeStock/Shutterstock.com©ChameleonsEye/Shutterstock.com; p.31: Shutterstock. com; ©lavocedelvolturno.com 2010; ©Paolo Bona/Shutterstock.com; Shutterstock.com;©Ingram Publishing/Thinkstock.com; p.33: Shutterstock.com; ostelloburigozzo11.com; 3.bp.blogspot.com; © tella_db/Shutterstock.com; © Anneka/ Shutterstock.com; G.A.Rossi, 1996; p.34: ©nitr/123rf. com; p.38: ©Stephen Coburn/Shutterstock.com; p.40: tms2929, 10 giugno 2008/Flickr; © Foto Scala, Firenze; ©JeniFoto/Shutterstock.com; ©Daniel Ernst/Thinkstock.com;Wikipedia.org; p. 43: britannica.com/CORBIS; p.45: ©saline/Shutterstock.com; ©Teatro Riccardo Iacomino/ Shutterstock.com;© mary416/Shutterstock.com; Teatro San Carlo/Napoli; p.48: TCI; ©Pecold/ Shutterstock.com; Convento di Santa Maria delle Grazie,Milano; p.49: Photos.com; ©Mark III Photonics/Shutterstock.com; Shutterstock.com;© Michele Perbellini/Shutterstock.com; © woe/ Shutterstock.com; Patrick Clenet; p.52: © Ridofranz/Shutterstock.com; ©Maria Teijeiro/Thinkstock. com; JupiterImages.com; © G.Bechea/Shutterstock.com; http://www.divinmaestro.it/oratorio-g-p-ii#sk_top; © Getty Images/Thinkstock;© Ljupco/Thinkstock; Thinkstock.com; p.53: 123rf.com; ©Wavebreak Media/Thinkstock; Shutterstock.com; p.54: ©Photos.com; © Wavebreak Media/ Thinkstock; p.58: Icponline.com;© pcruciatti/Shutterstock.com; p.60: © sportgraphic/Shutterstock. com; ©ICPonline;© Getty Images/Jupiterimages/Thinkstock.com; © Jupiterimages; p.64: Thinkstock.com; Allegra, aprile 2003; Jerrican, 1997; p.67: Thinkstock.com; Shutterstock.com; © JulieRob/Thinkstock.com; p.72:Thinkstock.com; ©Eyalos/Shutterstock.com; ©Wavebreak Media Ltd/Thinkstock.com; Thinkstock.com; ©Urs Siedentop/Thinkstock.com; p.73: ©Yuri Arcurs/Shutterstock.com; p.73: ©Y.Sunada/ Grazia Neri/ «Specchio», n. 417, 08/05/2004; ilgiornaledelfriuli.net 2010; «Il venerdì», 31/05/2002; circusf1.com/f1/wp-content/uploads/2010/09/100002ita/; p.75: Thinkstock.com; p. 76: Shutterstock.com;Thinkstock. com; «Venerdì», 23 Giugno 2000; ©Shots Studio/Shutterstock.com; romaatavola.it ; «Viaggi e sapori», n. 11, novembre 2003; ©pio3/Shutterstock.com; p.77: ©Northfoto/Shutterstock.com; p. 78: Thinkstock.com; Photos.com; p.80: V. Vippolis e G. Plorutti/ Baldini & Castoldi, 2002; p.81: ICPonline. com; ©ChaosMaker/Shutterstock.com; ©ICPonline/Shutterstock.com; ©Jupiter Images; P. Gosney/ Konemann, 1998;Thinkstock.com; ©Jupiter Images; ©jirkaejc/123rf.com;Shutterstock.com; p.82: Photos.com; ©ICPonline.com;Photos.com; Thinkstock.com; ©exclusive studio/Shutterstock. com; Photos.com; ©Jupiter Images; p.84: ICPonline.com; p.88: ©Six Dun/ Thinkstock.com; p.89: ©Aaron Amat/Shutterstock.com; ©exclusive studio/Shutterstock.com; p.90: ICPonline.com; Ulisse 2000, n.200; C.Schoppe/ «Brigitte Young Miss», 18/9/2002; Thinkstock.com; p.92:Shutterstock. com;© Giuseppe Lancia/Shutterstock.com; Salvatore Chiariello/Thinkstock.com; p.93: © Monkey Business Images / Shutterstock.com; p.94: Photos.com; p.96: «In viaggio», n. 73, ottobre 2003;©Martin Novak /Shutterstock.com; Shutterstock.com; © MiloVad/Shutterstock. com; Wikimedia Commons; p.97: ©Marcus Lindström/Thinkstock.com; ©Tupungato/Thinkstock. com; ©Medioimages/Photodisc/Thinkstock; ©Tupungato/Thinkstock.com;© Adriano Castelli/ Shutterstock.com; p.98: Editrice Satiz, 2001; C. Geninatti Chiolero e G.Fontana/ Gtt; ATM, Milano; Photos.com; Trenord, Milano; Shutterstock.com; p.102: ©ValeStock/Shutterstock.com; Wikimedia Commons; ©lavocedelvolturno.com, 2010; Wikimedia Commons; ©Tupungato/Shutterstock.com; ©LYSVIK PHOTOS/Shutterstock.com; p. 104: Thinkstock.com; ©montego666/Shutterstock. com; ©Jupiter Images; ©Achille Castiglioni/Frau; ppart; ©discpicture/Shutterstock.com; Thinkstock. com; ©poligonchik/Thinkstock.com; ©Jupiter Images; ©Kosam/Shutterstock.com; Photos. com; ©Morphart Creation /Shutterstock. com; Photos.com; ©Arina Zaiachin/123rf; ©sagir/ Shutterstock.com; ©xyno/Thinkstock.com; p. 105: Atala / «Gioia», n.18, 1998; p.106: ©Ralf Maassen (DTEurope)/Shutterstock.com; p.108: ©Franco Fontana; p.111: ©andras_csontos/Shutterstock.com; Shutterstock.com; ©Jeremy Reddington/Shutterstock.com; p. 122: ©creativedoxfoto / Shutterstock. com; ©Tapio Wirkkala, 1955 / Asko; ©Kekyalyaynen/Shutterstock.com; istockphoto.com; ©Jupiter Images; ©bioraven/Shutterstock.com; ©Photodisc/Thinkstock.com; ©3103/Shutterstock.com; ©Matthias Pahl; ©eyewave, Oliver Hoffmann/Thinkstock.com; ©LuckyBusiness/Thinkstock. com; Photos.com; ©24Novembers/Shutterstock.com; ©Picsfive/Shutterstock.com; ©M.Cozzi/ Shutterstock.com; p.129: ©Ljupco/Thinkstock.com; © Fuse/Thinkstock.com; ©sumnersgraphicsinc/ Thinkstock.com; Photos.com; ©AlexRaths/Thinkstock.com; Thinkstock.com; Photos.com; Thinkstock. com; © GorillaAttack/Shutterstock.com; IStockphoto.com; ©Tetiana Vitsenko/123RF; Thinkstock. com; p.130: ©Minerva Studio/Thinkstock.com; ©Michael Blann/Thinkstock; ©Tyler Olson/ Shutterstock.com; ©Michael Blann/Thinkstock; ©RAYES, Digital Vision/Thinkstock.com; Thinkstock. com; ©Francesco Ridolfi/Thinkstock.com; ©Maridav/Shutterstock.com; ©Marko Mijatov/ Thinkstock.com.

Sezione esercizi: p.5: © Laszlo Szirtesi/123rf.com; p.6: © Gennadiy Poznyakov/123rf.com; Shutterstock.com; p.7: ©JoeRead, 2009; ©Yuri Arcurs/Shutterstock.com; p.18: Shutterstock. com;Thinkstock.com;© David P. Lewis/Shutterstock.com; p.19: Shutterstock.com; p.21: ©Dmitry Naumov/Shutterstock.com; ©Edw/Shutterstock.com; p.23: ©ginosphotos/Thinkstock.com; © catwalker/Shutterstock.com; p.24: ICPonline.com; p.28: Shutterstock.com; villaserbelloni. com; ©Riccardo Piccinini/Shutterstock.com; p.33: ©3777190317/Shutterstock.com; ©sorrisi. com; p.37: ©Istituto Geografico De Agostini; ©Francesco Ridolfi/Thinkstock.com; p.38: Istituto Geografico De Agostini p.44: Provincia di Verona.

Indice

Comunicare in classe — p. 6

Unità 01 Ciao! Bella festa, vero? — p. 8

FUNZIONI	LESSICO	GRAMMATICA	PRONUNCIA E ORTOGRAFIA
• salutare • chiedere come sta una persona • chiedere in modo cortese, scusarsi e ringraziare • presentarsi: chiedere e dire il nome, la nazionalità, la città d'origine, il domicilio, la professione, l'età, il numero telefonico • presentare qualcuno: *questo/a è* • comunicare in classe: *come si dice...? che cos'è?*	• saluti e convenevoli • nomi di nazioni, città, nazionalità e professioni • numeri da 1 a 30 • alcuni significati di *essere*, *avere: sono italiano, ho 27 anni* ○ abbreviazioni per recapito: *tel., p.zza* ○ oggetti della classe: *penna, libro, lavagna*	• pronomi soggetto: *io, tu/Lei, lui/lei* • *tu* (informale) vs. *Lei* (formale) • indicativo presente: *sono, sei, è; abito, abiti, abita; faccio, fai, fa; ho, hai, ha; mi chiamo, ti chiami, si chiama* • aggettivi di nazionalità in *-o, -a, -e* • negazione di frase: *no* • articolo indeterminativo: *un, una* • pronomi e avverbi interrogativi: *come, dove, che, chi, perché* ○ preposizioni: *sono di Berlino, abito a Londra* ○ connettivi: *e, o, ma*	• vocali • accento di parola

Elementi culturali: saluti, convenevoli e formalità, personaggi famosi, nomi più diffusi

DOSSIER CULTURA I nomi e i gesti degli italiani — p. 26

Test — p. 28

Unità 02 Vorrei un'informazione… — p. 30

FUNZIONI	LESSICO	GRAMMATICA	PRONUNCIA E ORTOGRAFIA

• fare una richiesta
• chiedere un'informazione
• chiedere quanto costa
• chiedere di dire un nome lettera per lettera
• chiedere se c'è un servizio
• chiedere e dire l'ora
• iniziare e concludere una lettera/cartolina
• comunicare in classe: *come si scrive?*
• compilare un modulo
	• luoghi pubblici: *bar, stazione, edicola*
	• alfabeto
	• numeri da 30 a 100
	• ore: *sono le tre*
	• albergo: tipi di stanze, servizi (*parcheggio, piscina, telefono*)
	• aggettivi: *bello, caro, piccolo*
	○ fare i conti (+ − × :)
		• uso di *tu* vs *Lei: hai/ha l'ora?*
		• gruppo nominale:
		  - nomi singolari e plurali in *-o, -a, -e*
		  - aggettivi singolari e plurali in *-o/-a e in -e*
		  - articoli determinativi *il, la, i, le*
		• indicativo presente:
		  - verbi *essere* e *avere*
		  - verbi in *-are: imparare, arrivare*
		• preposizioni: *alle 5, per una notte*
		○ *è/sono* vs. *c'è/ci sono*
		○ preposizioni: *dalle 8 alle 10*
		○ connettivi/segnali: *allora, bene, senta*
			• intonazione dichiarativa e interrogativa
			• consonanti doppie
			○ suoni [p] / [b] (*posta / banca*)
			○ <p> / <pp> e <b> / <bb>

Elementi culturali: sistemazioni turistiche, orari dei servizi pubblici

DOSSIER CULTURA Città d'Italia — p. 48

Test — p. 50

Unità **03** Che cosa fai oggi?   p. 52

FUNZIONI	LESSICO	GRAMMATICA	PRONUNCIA E ORTOGRAFIA

• chiedere e parlare di azioni quotidiane
• informarsi sui programmi di qualcuno
• invitare qualcuno a fare qualcosa
• accettare un invito
• rifiutare cortesemente
	• verbi che indicano azioni quotidiane
	• nomi di parentela: *mamma, papà, figlio/a, nonno/a, nipote*
	• parti della giornata
	• giorni della settimana
	• espressioni con il verbo *fare*: *fare colazione / la spesa*
	• avverbi di frequenza: *sempre, di solito, qualche volta, non… mai*
	• luoghi del tempo libero: *palestra, teatro, stadio, bar*
		• Indicativo presente:
		  - verbi regolari (tre coniugazioni)
		  - verbi riflessivi
		  - alcuni verbi irregolari: *andare, dovere, fare, venire, volere, uscire*
		• aggettivi possessivi: *mio, tuo, suo*
		• articoli determinativi e indeterminativi: *lo, l', gli, uno*
		• preposizioni temporali: *da, alle, dalle… alle, di giovedì*
			• intonazione esclamativa
			• suoni [k] / [tʃ] (*casa / cibo*)
			○ suoni [r] / [l] (*rana / lana*)
			○ suono [ʎ] (*figlio*)
			○ <r> / <rr> / <l> / <ll> /<gl>

Elementi culturali: organizzazione familiare, ruolo dei nonni, l'oratorio, la socialità

DOSSIER CULTURA Il tempo libero, Lo sport   p. 72

Test   p. 74

Unità **04** Tu che cosa prendi?   p. 76

FUNZIONI	LESSICO	GRAMMATICA	PRONUNCIA E ORTOGRAFIA

• interagire in un ristorante o in un bar
  - chiedere un tavolo
  - ordinare
  - chiedere informazioni su un piatto
  - chiedere di portare qualcosa
  - chiedere come pagare
• interagire in un negozio di alimentari
• chiedere e dire se qualcosa piace
• esprimere approvazione
• augurare
• fare un brindisi
	• tipi di locale: *ristorante, agriturismo*
	• portate: *antipasto, primo*
	• piatti e alimenti: *risotto ai funghi, ravioli, pesce*
	• bevande: *aranciata, caffè*
	• aggettivi per parlare di cibi e bevande: *freddo, saporito*
	• euro
	• negozi di alimentari
	• avverbi di quantità: *molto, per niente*
	○ frutta e verdura
	○ stati fisici e psicologici: *avere fame/sonno/caldo/paura*
		• imperativo (*voi*)
		• indicativo presente:
		  - verbo piacere con i pronomi *mi/ti/Le* (*mi piace, Le piace*)
		  - verbi modali: *potere* (chiedere il premesso, fare una richiesta cortese, dare un consiglio) e *volere* (esprimere un desiderio)
		• partitivo *di* (+ articolo)
		• gruppo nominale: accordo articolo, nome, aggettivo (sintesi)
		○ preposizione *con*: *un caffè con lo zucchero*
		○ connettivi: *ma, invece, allora, perché*
			• suoni [g] / [dʒ] (*fragole / gelato*), [k] / [tʃ] (*cioccolato*)
			• <g>, <gh>
			○ <c> / <ch>, <g> / <gh>
			○ <c> / <cc>, <g> / <gg>
			○ suono [ɲ] (*gnocco*)

Elementi culturali: pasti quotidiani, mangiare al ristorante, tendenze alimentari, piatti tipici e regionali, negozi di alimentari

DOSSIER CULTURA La tavola delle feste, Il menu delle regioni   p. 92

Test   p. 94

Unità **05** Scusi, dov'è la fermata dell'autobus? p. 96

FUNZIONI	LESSICO	GRAMMATICA	PRONUNCIA E ORTOGRAFIA

• chiedere e dare informazioni stradali
  - chiedere e dire come arrivare in un luogo
  - chiedere quanto dista
  - chiedere e dire quanto ci vuole
• dare ordini, istruzioni e suggerimenti
• raccontare fatti passati
○ telefonare
	• luoghi della città (edifici e spazi pubblici)
	• espressioni per collocare nello spazio: *vicino a, di fronte a*
	• verbi di movimento: *attraversare, girare, salire*
	• *questo* e *quello*
	• colori
	• casa: stanze e mobili (*cucina, armadio*)
	○ strade: *vicolo, viale, incrocio*
		• imperativo (*tu, Lei*)
		• verbo dovere (esprimere necessità, dare istruzioni e suggerimenti)
		• preposizioni articolate (*negli, sullo*)
		• passato prossimo
		  - participio passato
		  - verbi ausiliari *essere* e *avere*
		○ connettivi: *quindi*
			• suoni [ʃ] / [sk] (*pesce, scuola*)
			• suoni [t] / [d] (*tavolo, dado*)
			○ suoni [b] / [v] (*voi, bene*)

Elementi culturali: la città (luoghi e mezzi pubblici, piazze e strade, cartelli stradali), la casa, regioni italiane

DOSSIER CULTURA Un po' di geografia p. 116

Test p. 118

Appendice p. 120

Sezione esercizi	p. 2
Unità 01	p. 2
Unità 02	p. 10
Unità 03	p. 18
Unità 04	p. 27
Unità 05	p. 37
Sintesi grammaticale	p. 48

Icone

Attenzione	rimando alla Sezione esercizi	esercizi di espansione	Gioco con i dadi	esercizio sulle funzioni	tabelle grammaticali

Comunicare in classe

1 Associa parole e immagini.

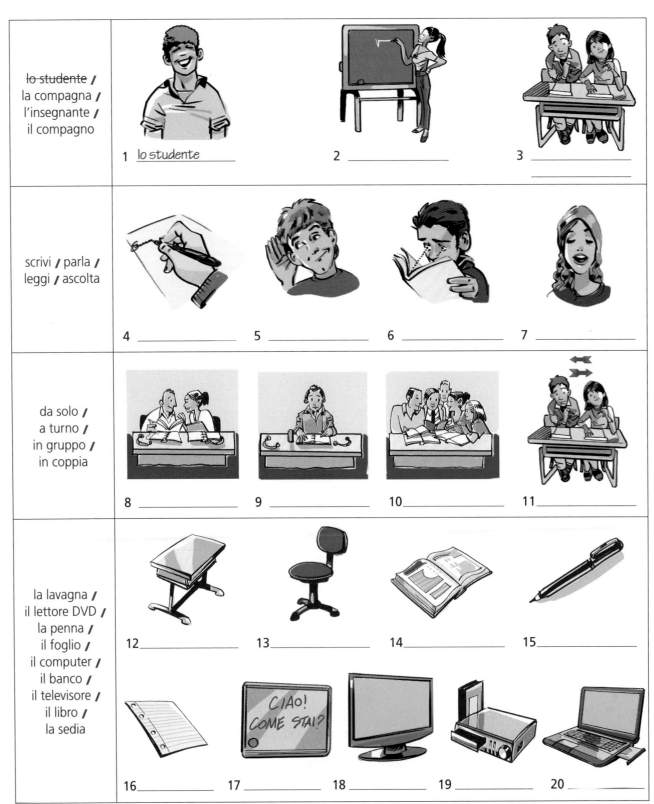

lo studente / la compagna / l'insegnante / il compagno	1 _lo studente_ 2 _____ 3 _____ _____
scrivi / parla / leggi / ascolta	4 _____ 5 _____ 6 _____ 7 _____
da solo / a turno / in gruppo / in coppia	8 _____ 9 _____ 10 _____ 11 _____
la lavagna / il lettore DVD / la penna / il foglio / il computer / il banco / il televisore / il libro / la sedia	12 _____ 13 _____ 14 _____ 15 _____ 16 _____ 17 _____ 18 _____ 19 _____ 20 _____

CIAO!
COME STAI?

2 Associa.

1 ☐ parola
2 ☐ frase
3 ☐ domanda
4 ☐f☐ risposta
5 ☐ dialogo
6 ☐ disegno
7 ☐ foto
8 ☐ esercizio
9 ☐ tabella

a

1 ☐ Completa i nomi con le desinenze.
1 La camerit ha il bagn......?   6 La farmaci..... chiude alle 19.30.
2 Quante stanz..... ha l'alberg....?   7 C'è la television..... in camera?
3 Compro i francoboll..... per la cartolin.....   8 Vorrei il cappuccin..... con il cacao.
4 L'edicol..... vende il giornal.....   9 I quadr..... del Museo degli Uffizi sono belli.
5 Dove è la biglietteri..... della stazion.....?   10 A Firenze ci sono tre stazion.....

b

c **Marco:** Ciao come stai?
    Giulia: Bene grazie, e tu?
    Marco: Bene.

Aggettivi in -o e in -a

d

	maschile	femminile
SINGOLARE	il museo piccol-**o** il ristorante piccol-**o**	la camera piccol-**a** la stazione piccol-**a**
PLURALE	i musei piccol-**i** i ristoranti piccol-**i**	le camere piccol-**e** le stazioni piccol-**e**

e Come ti chiami?
f Mi chiamo Maria.
g gelato
h Mi piace il gelato.

i

3 Leggi queste frasi (se necessario traduci le frasi nella tua lingua). Poi prova a usarle.

1 Che cosa significa "libro"?
    (*What does libro mean?*)

_____

2 Come si dice *dictionary* in italiano?
    (*What's the Italian word for "dictionary"?*)

_____

3 Come si scrive...?
    (*How do you spell...?*)

_____

4 Ho capito. / Non ho capito.
    (*I understand. / I don't understand.*)

_____

5 Può ripetere, per favore?
    (*Can you repeat, please?*)

_____

6 È giusto? / È sbagliato?
    (*Is it right? / Is it wrong?*)

_____

giusto

sbagliato

Ciao!
Bella festa, vero?

In questa unità impari a salutare, a presentarti e a contare fino a 30 (trenta).

1   Quali parole italiane conosci?

2 Sottolinea le parole per salutare.

3 Quale saluto è formale?
Quale informale?

4 Conosci altri saluti?

Per capire

CIAO A TUTTI!

1a **Prima di ascoltare.** Associa la situazione al disegno.

| 1 | 2 | 3 | 4 |

a in autobus ☐   **b** in classe ☐   **c** in albergo ☐   **d** in famiglia ☐

1b mp3 T01 **Ascolto 1.** Scrivi le parole che capisci.

_____

_____

_____

1c mp3 T01 **Ascolto 2.** Associa il numero del dialogo alle situazioni dell'esercizio 1a.

a in autobus: dialogo n. _____   **c** in albergo: dialogo n. _____

b in classe: dialogo n. _____   **d** in famiglia: dialogo n. _____

1d mp3 T01 **Ascolto 3.** Completa la tabella.

	in famiglia	in albergo	in classe	in autobus
arrivano →←	X			
vanno via ←→				
tu (informale)				
Lei (formale)				

Informale (con amici, in famiglia) = *tu*
es. Come stai, Marco?

Formale (con persone che non conosci, al lavoro) = *Lei*
es. Come sta, Signor Rossi?

1e mp3 T02 Ascolta i dialoghi 2 e 4 e completa.

Dialogo 2

- (1) _____ a tutti!
- (2) _____ papà. Finalmente sei arrivato! Come mai così tardi?
- C'era tanto traffico stasera. E Marion?
- Sono qui, (3) _____ , Signor Marchesi!
- (4) _____ , Marion, allora come è andato il primo giorno di corso di italiano?
- Bene, bene, (5) _____ .

Dialogo 4

- Buongiorno, (6) _____ , devo andare al Duomo, ma non so a quale fermata devo scendere.
- Sì, guardi, deve scendere alla prossima fermata.
- Ah! Grazie.
- (7) _____ !
- Buona giornata!
- (8) _____ .

E1

▮ Primi contatti

2a In coppia. Completate i dialoghi.

Dialogo 1

_____
tu / ~~ciao~~ / bene / come stai
_____

- ▪ (1) _Ciao_ , Silvio.
- ▪ Ciao, Piera. (2) _____ ?
- ▪ Bene, grazie, e (3) _____ ?
- ▪ (4) _____ , grazie.

Dialogo 2

_____
Lei / come sta / Signor / così così
_____

- ▪ Buongiorno, (5) _____ Grassi.
- ▪ Buongiorno, Signora Berti. (6) _____ ?
- ▪ Bene, grazie, e (7) _____ ?
- ▪ Eh (8) _____ , mia moglie è all'ospedale.
- ▪ Mi dispiace.

Dialogo 3

_____
buongiorno / grazie / per favore
_____

- ▪ (9) _____ , che cosa desidera?
- ▪ Non so, ha un menu (10) _____ ?
- ▪ Sì, certo, eccolo.
- ▪ (11) _____ .

2b Quali dialoghi sono informali (*tu*) e quali formali (*Lei*)?

Dialogo 1: _____ Dialogo 2: _____ Dialogo 3: _____

2c Quali parole usi per essere gentile in italiano? Metti queste espressioni al posto giusto.

_____
signor / sta / Grazie / dottore / Di niente
_____

> Buongiorno
> _____ .

> Buongiorno, _____
> Paganelli.
> Come _____ ?

> Prego...

> _____

> _____ !

2d **Prova ancora.**

Ciao / per cortesia / Grazie / per favore / come stai / Mi scusi / Sì, grazie /
e tu / Prego / Non importa / grazie / Scusa / niente / scusa

_____, hai una penna _____ ?

Eccola!

_____ !

_____ !

Certo, subito.

Il conto, _____ .

_____ !

Non è _____ .

_____ !

_____ , tranquillo!

Vuoi un po' di vino?

_____ .

_____ nonna, _____ ?

Ciao Marco. Bene, _____ , _____ ?

2e **In coppia. In queste situazioni che cosa dite per salutare?**

2f **In coppia. Confrontate le risposte.**

Confronto tra Culture

I saluti

Mima come si saluta nel tuo Paese
in situazioni formali, informali, quando
si arriva e quando si va via.

CIAO! BELLA FESTA, VERO?

3a **Prima di ascoltare.** Guarda i disegni e le foto. Chi sono?
Di che cosa parlano?

Stefano   Rosa   Christine   Jean

3b **mp3 T03** **Ascolto 1.** Scegli la risposta giusta.

1 Dove sono le 4 persone? **a** A una festa. **b** In treno. **c** A scuola. **d** In un bar.
2 Rosa e Stefano sono amici? **a** Sì. **b** No. **c** Non ho capito.
3 Chi sono Jean e Christine? **a** Amici di Rosa. **b** Amici di Stefano.

3c **mp3 T03** **Ascolto 2.** Completa la tabella. Poi confronta con un compagno.

	nazionalità	città	età	professione
	Di dov'è?	Dove abita?	Quanti anni ha?	Che lavoro fa?
Stefano	italiano		25 anni	ingegnere
Rosa				–
Jean			–	
Christine			–	

E2, 3, 4 ▶

Lessico

Presentarsi

Nomi

1a **Prima di ascoltare.** In coppia. Gara: vince chi scrive più nomi di personaggi italiani.

_____

_____

_____

1b **mp3 T04** **Ascolto 1.** Scrivi i nomi di persona più comuni in Italia.

_____

_____

_____

1c A turno chiedete il nome dei compagni di classe.

es. ■ *Come ti chiami?*
■ *Mi chiamo* Miwa, *e tu?*
■ Khalil.

Nazionalità

2a Scrivi la nazionalità nei box.

russo-a / australiano-a / indiano-a / tedesco-a / americano-a / argentino-a
cinese / inglese / senegalese / giapponese / svedese / turco-a

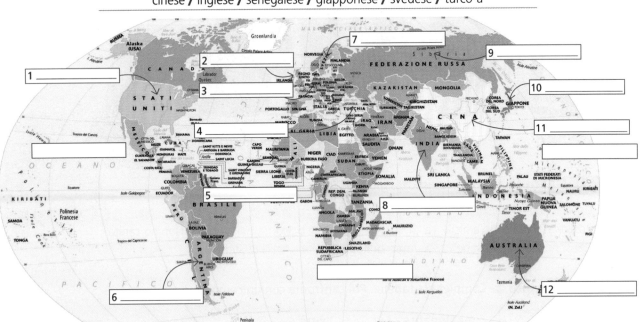

2b Scrivi nei box vuoti le altre nazionalità della classe.

2c A turno. Chiedete la nazionalità dei compagni di classe.

■ *Di dove sei?*
■ *(Sono)* **spagnolo/spagnola**. E tu?
■ Sono russo/russa.

E5

Professioni

3a In coppia. Lo studente A va in Appendice (p. 120). Lo studente B chiede come si dice in italiano la professione nel disegno. Lo studente A risponde. Ripetete a turno con gli altri disegni.

es. **Studente A:** *Come si dice* "**taxi-driver**" *in italiano?*
Studente B: **Tassista**.

tassista

_____ ingegnere _____ poliziotto

_____ avvocato _____ commessa

3b **Prima di ascoltare.** Rosa e Federica sono alla festa. Parlano di lavoro. Secondo te che lavoro fanno?

3c **mp3 T05** **Ascolto 1.** Che lavoro fanno?

Federica: _____   Rosa: _____

3d **mp3 T05** **Ascolto 2.** Collega le domande alle risposte.

1 ☐ Piacere, io mi chiamo Federica e tu?
2 ☐ E tu che cosa fai di bello?
3 ☐ Che lavoro fai?

a Sono al terzo anno di Scienze della formazione. Mi piacerebbe insegnare ai bambini.
b Io sono Rosa, ciao.
c La fotografa, mi occupo di sport.

3e In coppia. Ripetete il dialogo. Usate le carte in Appendice (p. 120).

es. ■ Come ti chiami?
■ **Carlo**. E tu?
■ **Kira**. Di dove sei?
■ Sono **italiano**. E tu?

■ Io sono **russa**.
■ Che lavoro fai?
■ Sono **infermiera**. E tu?
■ Io sono **ingegnere**.

E6

▐ Numeri da zero a trenta

0	(zero)	**11**	(un**dici**)	**21**	(vent**uno**)
1	(uno)	**12**	(do**dici**)	**22**	(ventidue)
2	(due)	**13**	(tre**dici**)	**23**	(ventitré)
3	(tre)	**14**	(quattor**dici**)	**24**	(ventiquattro)
4	(quattro)	**15**	(quin**dici**)	**25**	(venticinque)
5	(cinque)	**16**	(se**dici**)	**26**	(ventisei)
6	(sei)	**17**	(**dici**assette)	**27**	(ventisette)
7	(sette)	**18**	(**dici**otto)	**28**	(vent**otto**)
8	(otto)	**19**	(**dici**annove)	**29**	(ventinove)
9	(nove)	**20**	(venti)	**30**	(trenta)
10	(dieci)				

4a Leggi il dialogo e sottolinea la frase per chiedere l'età.

Stefano: Quanti anni hai?
Rosa: Ho trent'anni. E tu?
Stefano: Indovina.
Rosa: Forse ventidue.
Stefano: No, venticinque.

4b In coppia. Ripetete il dialogo sopra con questi numeri.

24 16 18
26 21 23
29 25 30
15 11 13

4c Chiedi l'età ai tuoi compagni e fai una lista dal più giovane al più vecchio.

4d In coppia. Lo studente A vuole organizzare una festa di compleanno. Telefona a un amico (studente B) e chiede i numeri di telefono di alcuni invitati. Lo studente B va in Appendice (p. 121).

es. ■ *Che numero ha Carlo?*
■ *031/863927.*

■ *Hai il numero di cellulare di Claudia?*
■ *Sì, 347/9825380.*

Studente A

Fabrizio: _____	Silvia: 035 6740946
Mario: _____	Ilaria: 02 92376348
Giulia: _____	Giovanni: 06 83139763
Matteo: _____	Roberta: 349 0283487
Anna: _____	Alessandro: 338 4740323
Marco: _____	Federica: 347 1367382

▶ E7, 8

Grammatica

Presente (*io, tu, lui/lei*)

1a `mp3 T06` **Ascolto 1.** C'è un nuovo studente al corso di italiano. Scegli vero o falso.

	V	F
1 Il nuovo studente si chiama Aziz.	☐	☐
2 Karin è tedesca.	☐	☐
3 Paul è americano.	☐	☐
4 Paul abita a Milano.	☐	☐
5 Paul è studente.	☐	☐
6 Aziz è in Italia per studiare.	☐	☐
7 Luisa è una compagna.	☐	☐
8 Luisa ha 26 anni.	☐	☐

1b `mp3 T06` **Ascolto 2.** Completa la conversazione tra Aziz e Paul.

Aziz: Ciao, è la tua prima lezione, vero?

Paul: Sì, (1) _____ in Italia solo da due giorni.

Aziz: Come (2) _____ ?

Paul: Mi chiamo Paul e tu?

Aziz: Io Aziz, sono egiziano, di Luxor. E tu, di dove (3) _____ ? Sei americano?

Paul: No, (4) _____ australiano, di Sidney, ma ora (5) _____ qui a Milano. Sono in Italia per studiare all'uni versità. E tu?

Aziz: Io sono in Italia per lavoro.

Paul: Che lavoro (6) _____ ?

Aziz: Sono ingegnere, ma (7) _____ il cameriere in una pizzeria.

Paul: Ah, bene. Conosci altri studenti del corso?

Aziz: Sì, due. La ragazza con la t-shirt rossa (8) _____ Karin, è tedesca, ma (9) _____ in Italia da due mesi. Invece il ragazzo con gli occhiali si chiama Timor, lui (10) _____ polacco, di Cracovia... E lei vicino alla lavagna (11) _____ l'insegnante. Si chiama Luisa.

Paul: Ma è giovane! Quanti anni (12) _____ ?

Aziz: Ha 26 anni ed è anche molto simpatica!

Paul: Bene, bene…

1c Completa la tabella.

	essere	chiamarsi	abitare	fare	avere
io		mi chiam-o			ho
tu	sei		abit-i		hai
lui/lei		si chiam-a	abit-a	fa	

1d Leggi la scheda e rispondi alle domande.

1 Come si chiama? 4 Che lavoro fa?
2 Di dove è? 5 Quanti anni ha?
3 Dove abita? 6 È sposata?

1e In coppia. Fate le domande e completate le schede in Appendice (p. 121).

1f Intervista due compagni.
Poi presenta i compagni alla classe.

NOME: **Magda**
COGNOME: **Villareal**
ANNI: **29**
NAZIONALITÀ: **messicana**
RESIDENZA: **Bologna, via della Torre, 5**
STATO CIVILE: **nubile**
PROFESSIONE: **hostess**

E9, 10, 11

Aggettivi di nazionalità

2a Guarda le foto e completa la tabella.

CARLA È ITALIANA

MARIO È ITALIANO

MADELEINE È INGLESE E ANCHE PETER È INGLESE.

italiano è un aggettivo 👤 ___maschile___	**italiana** è un aggettivo 👤 _____	**inglese** è un aggettivo 👤 _____ 👤 _____

2b Scrivi gli aggettivi nel box giusto.

marocchino / tailandese / iracheno / nigeriano / svedese / americana / italiana / olandese / tunisina / danese / filippina / turco / greca / norvegese / francese / cinese / indiano / canadese / messicana / russo / albanese / peruviano / portoghese

-o argentino,	**-a** turca,	**-e** neozelandese,

2c A turno. Dite la nazionalità e la città d'origine di queste persone.

es. Mario / Roma → Mario è **italiano**, di Roma.
Carla / Milano → Carla è **italiana**, di Milano.

1 John / New York	**5** Inga / Amburgo	**9** Marta / Madrid
2 Mary / Chicago	**6** Lara / Sydney	**10** Ferdinando / Buenos Aires
3 Javier / Città del Messico	**7** Sundari / Bombay	**11** Mina / Casablanca
4 Hans / Berlino	**8** Kevin / Canberra	**12** Sophia / Atene

es. Peter / Londra → Peter è **inglese**, di Londra.
Madeleine / Leeds → Madeleine è **inglese**, di Leeds.

13 Jacques / Parigi	**17** Radaa / Manila	**21** Avalon / Ottawa
14 Charlotte / Lione	**18** Hong Mei / Pechino	**22** Petrika / Tirana
15 Marlies / Amsterdam	**19** Maria / Lisbona	**23** Karina / Stoccolma
16 Hilde / Oslo	**20** Aya / Tokyo	**24** Emil / Copenhagen

E12, 13

▌ Negazione di frase

3a **In coppia. Domandate e rispondete.**

es. italiano? / inglese   Firenze? / Napoli   ingegnere? / architetto
- ▪ Sei italiano?   ▪ Abiti a Firenze?   ▪ Sei ingegnere?
- ▪ No, sono inglese.   ▪ No, abito a Napoli.   ▪ No, sono architetto.

1 portoghese? / brasiliano	7 americano? / canadese
2 inglese? / tedesca	8 panettiere? / studente
3 cuoco? / impiegato	9 poliziotto? / dentista
4 Bergamo? / Lecce	10 Torino? / Milano
5 Siena? / Venezia	11 francese? / tunisino
6 argentino? / spagnolo	12 cinese? / giapponese

3b **Rispondi alle domande dell'insegnante sui tuoi compagni.**

es. ▪ Sabine è spagnola?
- ▪ No, è tedesca.

▌ Questo / Questa è... (presentare)

4a **mp3 T07 Ascolto 1. Rispondi.**

1 Paul conosce Karin? _____
2 Dove studia Paul?   _____
3 Che cosa studia?   _____

4b **mp3 T07 Ascolto 2. Completa la conversazione.**

Aziz: Ciao Karin, come stai?
Karin: Bene, grazie. E tu?
Aziz: Tutto bene. (1) _____ _____ un nuovo compagno di classe. (2) _____ _____ Paul.
Paul (3) _____ , Paul.
Karin: (4) _____ , _____ _____ _____ Karin. Di dove sei, Paul?
Paul: Sono australiano, ma adesso abito a Milano, sono uno studente del Politecnico.

4c **Completa.**

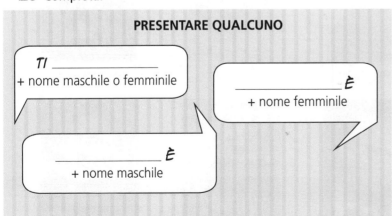

PRESENTARE QUALCUNO

TI _____
+ nome maschile o femminile

_____ È
+ nome femminile

_____ È
+ nome maschile

RISPONDERE

PIACERE
+ nome

CIAO
+ nome

4d Con due compagni. Ripetete il dialogo.

es. ■ Questa è **Carmen, una ragazza spagnola**.
■ Piacere, **Carmen**.
■ Piacere, **Marco**. Perché sei in Italia?
■ Sono in Italia **per lavoro**.
■ Davvero? E che lavoro fai?
■ Sono **segretaria**. E tu?

es. ■ Perché sei in Italia?
■ Per lavoro.
Per turismo.
Per amore.

nome	città/nazione	in Italia per	professione
Carmen una ragazza	SPAGNA		
Sachiko una collega	GIAPPONE		
Ivan un ragazzo	RUSSIA		
Adam un amico	CANADA		

E14, 15

Un/una

5a Chi è? Rispondi.

ballerina / cantante / attore / fotografo / calciatore / baby sitter

es. È Dario Fo, **un** comic**o**.

Oliviero Toscani

Carla Fracci

Gianna Nannini

es. È Carla Bruni, **una** modell**a**.

Roberto Benigni

Mary Poppins

Francesco Totti

5b Che cos'è? A turno. Pescate una carta e rispondete (Appendice, p. 122).

È **un** foglio.

È **una** penna.

E16 ▶

Pronomi interrogativi: *chi, che, dove, come, perché*

6a Completa le frasi. Poi scegli la risposta giusta.

1 _____ lavoro fa Andrea Bocelli?
   a L'attore.   **b** Il cantante.   **c** Il giornalista.

2 _____ si chiama l'italiano che è un "maestro" in amore?
   a Giulio Cesare.   **b** Giuseppe Garibaldi.   **c** Giacomo Casanova.

3 _____ ha dipinto la Cappella Sistina?
   a Michelangelo.   **b** Leonardo.   **c** Giotto.

4 _____ saluti un amico italiano?
   a Buonasera.   **b** Ciao.   **c** Salve.

5 _____ abita il papa?
   a A Roma.   **b** A Genova.   **c** A Napoli.

6 _____ canta la canzone *Adesso tu*?
   a Eros Ramazzotti.   **b** Adriano Celentano.   **c** Sophia Loren.

7 _____ è nato Leonardo Da Vinci?
   a In Sicilia.   **b** In Spagna.   **c** In Toscana.

8 _____ sei in Italia?
   a Per lavoro/studio. **b** Per turismo.   **c** Per amore.

6b Scrivi le domande.

1 _____?
   In Francia.

2 _____?
   Federica.

3 _____?
   Un cantante famoso italiano.

4 _____?
   Sono ingegnere.

5 _____?
   Perché il mio ragazzo è italiano.

6 _____?
   Si dice "gelato".

E17, 18, 19 ▶

Pronuncia

Vocali

Le vocali dell'alfabeto italiano sono:

a e i o u

Le vocali si pronunciano:

/a/ come in c**a**sa e t**a**rdi
/e/ (chiusa) come in m**e**la e c**a**ne
/ɛ/ (aperta) come in **e**rba e caff**è**
/i / come in p**i**zza e **I**talia
/o/ (chiusa) come in un**o** e b**o**cca
/ɔ/ (aperta) come in **o**ggi e per**ò**
/u/ come in **u**no e t**u**

> **! Attenzione:**
> **e** (e chiusa) = congiunzione
> **es.** *Io parlo due lingue: inglese **e** francese.*
> **è** (ɛ aperta) = verbo *essere*
> **es.** *John **è** inglese, di Londra.*
>
> Alcune parole hanno l'accento sull'ultima vocale, come:
> • *città*   • *così*
> • *perché*   • *però*
>   • *giù*

1a `mp3 T08` **Ascolto 1.** Nomi di persona. Segna con una X la prima vocale che senti.

es. *Sara*

	a	e	i	o	u
1	X				
2					
3					
4					
5					
6					
7					
8					
9					
10					
11					
12					

1b `mp3 T08` **Ascolto 2.** Scrivi i nomi che hanno due volte la stessa vocale.

Sara _____

_____

1c `mp3 T09` Ascolta e completa con le vocali.

1 ■ Com__ sta__?
  ■ B__n__, e t__?
  ■ Ben__ss__m__. T__ pr__sent__ un__ nuov__ c__mp__gn__. Quest__ è K__ra.
  ■ P__ac__re, i__ son__ F__on__.

2 ■ Ch__ cos__ f__?
  ■ S__n__ fot__gr__f__. E Le__?
  ■ St__di__ __nf__rm__t__c__.

3 John è __m__r__ican__, Stephen __ngl__s__, S__r__ è sp__gn__l__ e M__ri__ è it__li__n__.

1d Gioco a gruppi. Vince chi scrive più parole che finiscono con -*o* e con -*a* in cinque minuti.

es. *banco, scuola*

`E20, 21`

Accento

2a `mp3 T10` Dov'è l'accento?

Fe-li-ce |• ● •| accento sulla penultima sillaba   Caf-fè |• ● | accento sull'ultima sillaba
Fa-ci-le |● • •| accento sulla terzultima sillaba

2b `mp3 T11` Ascolta le parole e sottolinea la sillaba che ha l'accento.

1 piacere   5 lingua   9 semplice   13 dizionario
2 australiano   6 polacco   10 ospite   14 cinese
3 Marta   7 gelato   11 unità   15 perché
4 città   8 insegnante   12 gita   16 musica

`E22`

1 **Il gioco dell'oca**

A squadre. Rispondete o fate le domande.

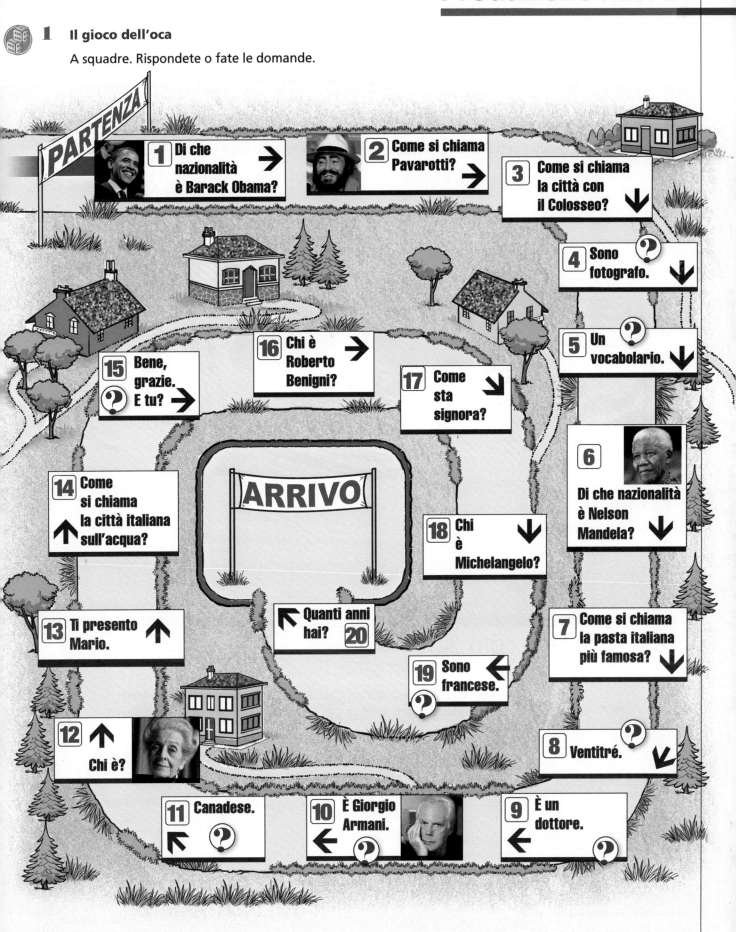

PARTENZA

1 Di che nazionalità è Barack Obama? →

2 Come si chiama Pavarotti? →

3 Come si chiama la città con il Colosseo? ↓

4 Sono fotografo. ↓

5 Un vocabolario. ↓

16 Chi è Roberto Benigni? →

17 Come sta signora? ↘

15 Bene, grazie. E tu? →

6 Di che nazionalità è Nelson Mandela? ↓

14 Come si chiama la città italiana sull'acqua? ↑

ARRIVO

18 Chi è Michelangelo? ↓

13 Ti presento Mario. ↑

20 Quanti anni hai? ↖

19 Sono francese. ←

7 Come si chiama la pasta italiana più famosa? ↓

12 ↑ Chi è?

8 Ventitré. ↘

11 Canadese. ↖

10 È Giorgio Armani. ←

9 È un dottore. ←

2   Conoscersi a una festa (role-play)

Sei a una festa. Incontri nuove persone. Fai le domande per conoscere qualcuno.

3   La mia nuova identità

In coppia. Sei un'altra persona. Scegli tre oggetti della tua nuova identità.
Poi presentati.

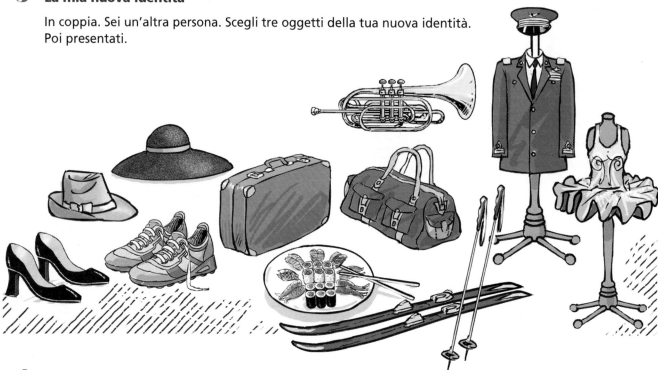

4   Presentarsi

Leggi e scrivi la tua presentazione.

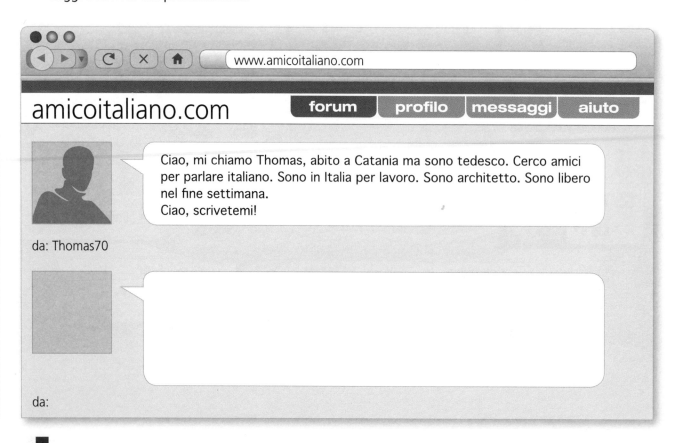

amicoitaliano.com   forum   profilo   messaggi   aiuto

Ciao, mi chiamo Thomas, abito a Catania ma sono tedesco. Cerco amici per parlare italiano. Sono in Italia per lavoro. Sono architetto. Sono libero nel fine settimana.
Ciao, scrivetemi!

da: Thomas70

da:

Frasi utili per...

1 Metti le frasi al posto giusto nella tabella.

(Abito) a Salerno. / (Ho) venticinque (anni). / (Mi chiamo) Giulia Rossi. / Bene, grazie. E tu? / Che cos'è? / Come si chiama? / Che lavoro fa? / Che lavoro fai? / Quanti anni hai? / Chi è / Come si chiama? / Ciao / Come si dice... / Come sta? / Come stai? / Come va? / Di dove è? / È una / Si chiama... / Ciao / Di dove sei? / Marco, questa è... / Ciao / Piacere / Dove abiti? / Marco, questo è... / Perché sei in Italia? / Piacere, Marco Calvi. / Quanti anni ha? / Scusi / Sono francese / Sono in Italia per turismo/lavoro/amore. / Sono ingegnere / Faccio l'ingegnere / Come ti chiami?

primi contatti	*tu* (informale)	*Lei* (formale)
attirare l'attenzione	Scusa	
salutare quando arrivo		Buongiorno/Buonasera/Salve
salutare quando vado via		Arrivederci/Buona giornata/Buonasera
chiedere come sta una persona		
rispondere e ringraziare		Molto bene, grazie. E lei?
presentarsi		
chiedere il nome		Come si chiama?
dire il nome		
chiedere l'età		
dire l'età		
chiedere la nazionalità	Qual è la tua nazionalità?	Qual è la Sua nazionalità?
dire la nazionalità	_____, di Parigi.	
chiedere a una persona dove abita		Dove abita?
dire dove abito		
chiedere la professione		
dire la professione		
chiedere il perché di qualcosa		Perché è in Italia?
rispondere al perché di qualcosa		
presentare qualcuno		
	_____ Maria. _____ Lucio. Ti presento Sandro.	Questa è la Signora Diani. Questo è il Signor Rossi. Le presento il Signor Bianchi.
rispondere alle presentazioni		
chiedere l'identità di qualcuno		
comunicare in classe		
chiedere una parola che non conosco	_____ *nurse* in italiano?	
chiedere cos'è qualcosa		
rispondere a cos'è qualcosa	_____ lavagna.	

I nomi degli italiani

1a **Leggi questa intervista. Metti le domande al posto giusto.**

1 Perché i gusti sono cambiati?
2 Quali sono i nomi più comuni in Italia?
3 Quanti sono i nomi di persona italiani?
4 Sono cambiati oggi i nomi dei bambini in Italia?

a _____?
Più di 17.000, ma quelli veramente comuni sono 300.

b _____?
Secondo i dati dell'Istat*, Giuseppe è il nome maschile più diffuso. Al secondo posto c'è Giovanni, al terzo Antonio. Poi Mario, Luigi, Francesco, Angelo, Vincenzo e Pietro. Tra le donne ai primi posti ci sono Maria, Anna, Giuseppina, Rosa, Angela, Giovanna e Teresa. Ma i bambini italiani oggi non
si chiamano più così.

c _____?
Sì, i bambini italiani oggi si chiamano in modo diverso. Più del 3% dei nuovi nati si chiama Francesco o Giulia. Ma sono in aumento anche Alessandro, Andrea, Matteo, Lorenzo, Sofia, Martina, Chiara, Giorgia. Inoltre, il 14% dei neonati ha uno o tutti e due i genitori stranieri, quindi è difficile che possano scegliere nomi "tipicamente italiani".

d _____?
La Tv ha imposto il vero cambiamento. Negli anni Ottanta sono arrivati i nomi inglesi delle soap opera e dalle serie Tv americane. Improvvisamente tra i bambini a scuola sono comparsi migliaia di Samantha, Alex, Jessica, Ross e Sue Ellen. Prima la maggior parte dei nomi arrivava dalla tradizione cattolica.
Negli ultimi anni molti genitori hanno scelto anche i nomi degli idoli dello sport: da Diego Armando Maradona a Fiona May.

*Istituto Nazionale di Statistica

1b **Quale nome italiano preferite? Scrivete il nome su un biglietto poi fate una classifica dei nomi preferiti dalla classe.**

1c **Conoscete il nome di questi personaggi italiani?**

1 _____ Fazio, presentatore Tv
2 _____ Pausini, cantante
3 _____ Balotelli, calciatore
4 _____ Bova, attore
5 _____ Ventura, presentatrice Tv

I gesti degli italiani

2a Osserva come si conta con le mani in Italia.

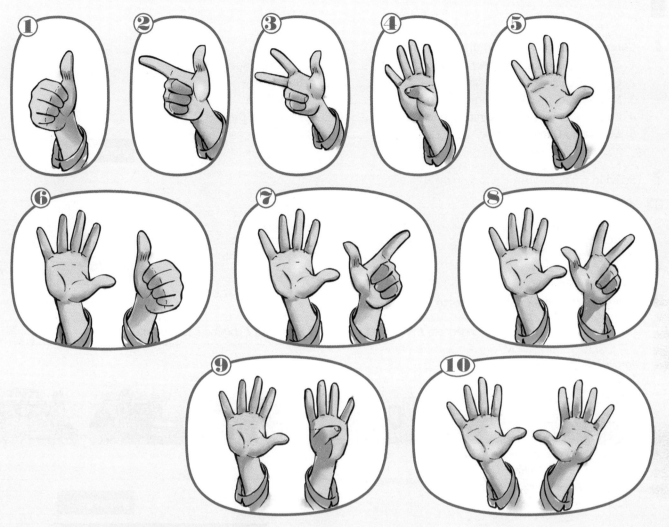

2b In coppia. Uno studente chiude gli occhi, l'altro fa un numero con le mani "all'italiana". Lo studente con gli occhi chiusi deve indovinare il numero toccando le mani del compagno.

2c Gli italiani sono famosi per gesticolare molto, cioè per "parlare con le mani". Conosci il significato di questi gesti? Associa le immagini ai significati. Attenzione! Uno di questi gesti non è gentile! Quale?

a Che cosa vuoi?
b Andiamo a bere un caffè?
c Perfetto!

d Che fame!
e Che paura!

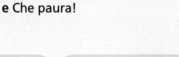

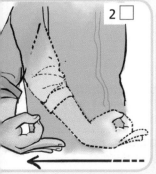

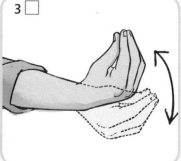

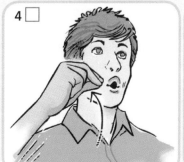

Lessico

1 Completa con gli aggettivi di nazionalità.

1 Ciao a tutti, io sono Andrew e sono _____, di Washington.
2 Ciao, mi chiamo Markus e sono _____, di Berlino.
3 Mi presento: mi chiamo Tomo e sono _____, di Tokio.
4 Ciao a tutti, mi chiamo Kamal e sono _____, di New Delhi.
5 Mi chiamo Charles e sono _____, di Londra.

punteggio _____ / 5

2 Scrivi in cifre.

es. dieci: *10*

1 quindici: _____   4 undici: _____
2 tredici: _____   5 diciannove: _____
3 diciassette: _____

punteggio _____ / 5

3 Scrivi i nomi delle professioni sotto i disegni.

ingegnere / Impiegata / dottore / infermiera / commessa / avvocato

Io sono...

1 _____ 2 _____ 3 _____ 4 _____ 5 _____ 6 _____

punteggio _____ / 6

Lessico: punteggio totale _____ / 16

Funzioni

4 Completa il dialogo con una o più parole.

■ Ciao, io mi chiamo Kadir. E tu (1) _____?
■ Ciao Kadir. Io (2) _____ John.
■ Ciao John. (3) _____?
■ Sono australiano. E tu?
■ Marocchino. Sono uno studente di medicina, e tu (4) _____?
■ Sono ingegnere, ma qui in Italia non lavoro.
■ E (5) _____ in Italia? Per turismo?
■ No, per amore. La mia ragazza è italiana.
■ Che bello! (6) _____?
■ A Torino, e tu?
■ A Milano. Perché non vieni a trovarmi un giorno?

punteggio _____ / 12

5 **Associa domande e risposte.**

1 ☐ Buongiorno, come sta?

2 ☐ Ti presento Marcel, un nuovo compagno.

3 ☐ Quanti anni hai?

4 ☐ Ciao, come stai?

5 ☐ Le presento la signora Maggi.

6 ☐ Sei americano o inglese?

a Ciao. Io sono Stephen.

b Così così, sono un po' stanco.

c Sono australiano!

d Molto bene. E Lei?

e Ho tredici anni, e tu?

f Molto piacere. Mi chiamo Pietro Russo.

punteggio	_____ / 6
Funzioni: punteggio totale	_____ / 18

Grammatica

6 **Completa con le desinenze e con *un/una*.**

Vi presento i miei nuovi amici:

Quest____ è Dimitri, _____ ragazz____ russ____ ...   ... e quest____ è Aidha, _____ ragazz____ marocchin____ .

punteggio	_____ / 8

7 **Coniuga i verbi.**

● ○ ○   ✉

Caro Karl, come **(1)** _____ (*stare*)? **(2)** _____ (*essere*) già in Italia?
Scrivimi presto!
Marco

● ○ ○   ✉

Ciao Marco,
(3) _____ (*essere*) in Italia da due settimane ormai e mi piace molto. **(4)** _____ (*abitare*) a Bologna con un amico cinese. Lui **(5)** _____ (*chiamarsi*) Dong. **(6)** _____ (*avere*) anche una nuova amica egiziana, Aisha. **(7)** _____ (*fare*) l'infermiera e **(8)** _____ (*essere*) una ragazza bellissima!!!

Ah, l'amore 😎!
A presto
Karl

punteggio	_____ / 8
Grammatica: punteggio totale	_____ / 16

PUNTEGGIO TOTALE DEL TEST	_____ / 50

Unità 02 Vorrei un'informazione...

In questa unità impari a prenotare una stanza d'albergo; a chiedere qualcosa in alcuni servizi pubblici; l'alfabeto; i numeri fino a 100 (cento); le ore.

1 Associa.

a ☑2 i carabinieri
b ☐ la banca
c ☐ il tabaccaio
d ☐ la stazione
e ☐ l'ospedale
f ☐ l'ufficio informazioni
g ☐ l'edicola
h ☐ il museo
i ☐ la farmacia

2 Associa oggetti e servizi.

albergo

il bagno _____
_____
_____

posta

_____
_____
_____

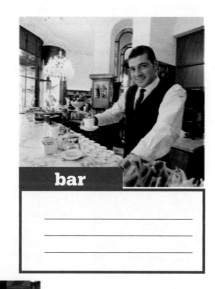

bar

_____
_____
_____

stazione

_____
_____
_____

edicola

_____
_____
_____

il bagno

lo sportello

l'euro

il letto

la birra

il francobollo

il pacco

la camera

il giornale

il cappuccino

il biglietto

la cartina della città

il binario

Per capire

1a **Prima di ascoltare.** Che cosa devi fare per prenotare una stanza in albergo? Metti in ordine le immagini.

a ☐

b ☐

c ☐

d ☐

1b 📻 mp3 T12 **Ascolto 1.** Rispondi.

1 Dove è Todd?
   a Al telefono.
   b In un albergo.
   c In un'agenzia.

2 Com'è la conversazione?
   a Formale (usano il *Lei*).
   b Informale (usano il *tu*).

3 Perché Todd telefona?
   a Per informarsi sui servizi dell'albergo.
   b Per prenotare una stanza.
   c Per cancellare una prenotazione.

1c 📻 mp3 T12 **Ascolto 2.** Vero o falso?

	V	F
1 La persona che chiama è canadese.	☐	☐
2 L'albergo è completo.	☐	☐
3 La camera costa 60 euro.	☐	☐
4 La camera non ha il bagno.	☐	☐
5 Per la prenotazione non è necessario mandare una caparra.	☐	☐

1d 📻 mp3 T12 **Ascolto 3.** Completa la tabella. Poi confrontati con un compagno.

Nome e cognome		
Tipo di camera ☐ matrimoniale ☐ doppia ☐ singola	**Periodo** Arrivo (dal) _____ Partenza (al) _____	**Camera con vista** sì ☐ no ☐
Numero della carta di credito		

1e **In quale città italiana Todd prenota la camera?**

_____

campeggio

ostello

albergo

agriturismo

bed & breakfast

Confronto tra Culture

Sistemazioni

• Quando vai in vacanza dove dormi?
• Quali sistemazioni offrono le città italiane?
  E il tuo Paese?
• Sai che cos'è la mezza pensione?
• E la pensione completa?

Formale  o informale ?

2a Leggi le e-mail. Chi le ha scritte e perché?

●○○ ✉

Cara Sabina,
come stai? Io sono in vacanza in Italia, con Josh. Verona è davvero una città splendida. Alloggio in un hotel piccolo, ma grazioso e non molto caro. Io e Josh ci fermiamo qui tre giorni, così riusciamo a vedere l'Arena e la casa di Giulietta.
Ti scrivo presto.
Un grosso bacio,
Todd

●○○ ✉

Gentili Signori,
con riferimento alla conversazione telefonica del 5 giugno, confermo la prenotazione di una camera doppia per le notti del 26, 27, 28 e 29 giugno 2014.
Vorrei anche sapere se devo pagare la caparra e come.
Cordiali saluti,
Todd Cooper

2b Quale e-mail è più formale? Sottolinea le parole che ti aiutano a capirlo.

Chiedere

3a mp3 T13 **Ascolto 1.** Associa i dialoghi al disegno.

☐1 il bar   ☐ il tabaccaio   ☐ l'edicola   ☐ la biglietteria   ☐ l'ufficio informazioni

3b mp3 T13 **Ascolto 2.** Che cosa dicono per chiedere qualcosa? Completa.

Dialogo 1	
Dialogo 2	
Dialogo 3	
Dialogo 4	
Dialogo 5	

3c Completa i dialoghi con le espressioni sotto.

vorrei (3 volte) / quanto costa / a che ora / dove / senta, scusi

1 ▪ Buongiorno, (1) _____ un cappuccino e una brioche.
  ▪ Come vuole la brioche? Alla marmellata o alla crema?
  ▪ Alla crema, grazie. Ah, senta, scusi, posso avere anche una spremuta d'arancia?
  ▪ Certo, ecco a Lei.

2 ▪ Salve, vorrei tre biglietti della metropolitana.
  ▪ Sono tre euro.
  ▪ Grazie.
  ▪ Ah, (2) _____, avete anche *Il Corriere della Sera*?
  ▪ Sì, ecco a Lei. Sono 4 euro in tutto.
  ▪ Grazie.
  ▪ Grazie a Lei e arrivederci.

3 ▪ Buonasera, (3) _____ chiedere un'informazione.

▪ Prego!
▪ (4) _____ parte il treno per Milano?
▪ Il treno regionale?
▪ Sì.
▪ Alle 7.30.
▪ (5) _____ parte?
▪ Al binario 6.
▪ Grazie.
▪ Prego, arrivederci.

4 ▪ Senta, scusi, (6) _____ avere informazioni sulla mostra di arte moderna.
  ▪ Mi dica.
  ▪ (7) _____ il biglietto?
  ▪ Il biglietto intero costa 8 euro.
  ▪ È possibile fare una visita guidata?
  ▪ Sì, certo, tutti i giorni alle 10 c'è una visita guidata.
  ▪ Va bene, grazie.
  ▪ Di nulla, arrivederci!

E1, 2, 3

3d In coppia. Lo studente A pesca una carta (Appendice p. 123) e chiede informazioni. Lo studente B risponde.

Alfabeto

Todd è al telefono per prenotare l'albergo.

- ■ Scusi, mi dice il suo nome, per favore?
- ■ Todd Cooper.
- ■ Scusi... come si scrive?
- ■ TI, O, doppia DI, CI, doppia O, PI, E, ERRE.
- ■ Va bene, d'accordo.

1a In coppia. L'alfabeto italiano ha 21 lettere.

- • Quali sono le vocali?
- • Quali sono le consonanti?
- • Quali sono le lettere straniere?

A	(a)	**J**	(i lunga)	**S**	(esse)
B	(bi)	**K**	(cappa)	**T**	(ti)
C	(ci)	**L**	(elle)	**U**	(u)
D	(di)	**M**	(emme)	**V**	(vi/vu)
E	(e)	**N**	(enne)	**X**	(ics)
F	(effe)	**O**	(o)	**W**	(doppia vu)
G	(gi)	**P**	(pi)	**Y**	(ipsilon)
H	(acca)	**Q**	(cu)	**Z**	(zeta)
I	(i)	**R**	(erre)		

1b In coppia. Scrivete il vostro nome e cognome e altri 5 nomi di amici. Ripetete il dialogo sopra con questi nomi.

1c "A" come "albergo". Gioco a squadre. Quante parole conosci con la lettera "A"?

> E4, 5

Albergo

2a Associa parole e simboli.

 1 ☐   2 ☐   3 ☐   4 ☐   5 ☐   6 ☐

 7 ☐   8 ☐   9 ☐   10 ☐   11 ☐   12 ☐

a la doccia	e il bar	i il telefono
b il frigobar	f la piscina	l il ristorante
c l'aria condizionata	g il parcheggio	m il collegamento a internet
d la televisione	h l'ascensore	n la spiaggia privata

2b In coppia. Domanda e completa con le risposte del tuo compagno. Alla fine decidete dove andare. Lo studente A usa questa scheda degli alberghi, lo studente B va in Appendice (p. 123).

es. **Studente A:** *Che cosa c'è all'hotel Miramare?*

Studente B: *All'hotel Miramare **c'è** il parcheggio... All'hotel Miramare **non c'è** la piscina...*

Studente A

	🚗	🏊	❄️	🍸	🍴	⛱️	🔌	🛗
Hotel Roma ★★★		●	●	●	●		●	
Hotel Miramare ★★	X	–						
Camping Odissea ★★	●			●		●	●	
Villaggio camping La Torre ★★★								

▌ I numeri da 30 a 100

30	(**trenta**)	**36**	(trenta**sei**)	**60**	(**sessanta**)
31	(tren**tuno**)	**37**	(trenta**sette**)	**70**	(**settanta**)
32	(trenta**due**)	**38**	(tren**totto**)	**80**	(**ottanta**)
33	(trenta**tré**)	**39**	(trenta**nove**)	**90**	(**novanta**)
34	(trenta**quattro**)	**40**	(**quaranta**)	**100**	(**cento**)
35	(trenta**cinque**)	**50**	(**cinquanta**)		

3a **mp3 T14** Ascolta le telefonate e completa la tabella.

	sistemazione	data	costo (euro)	telefono
1				
2				
3				

E6

3b In coppia. Ripetete il dialogo. Fate a turno il turista e l'albergatore. Lo studente A legge la scheda sotto, lo studente B va in Appendice (p. 124).

Turista:	Buongiorno, vorrei prenotare una **camera doppia**.
Albergatore:	Per quando?
Turista:	**Dal 12 al 15 giugno**. Senta, scusi, quanto costa?
Albergatore:	**75 euro** con colazione.
Turista:	E la pensione completa quanto costa?
Albergatore:	**70 euro** a persona, **50 euro** la mezza pensione.
Turista:	Ah, allora prendo solo la camera doppia.
Albergatore:	Mi lascia il suo numero di telefono, per favore?
Turista:	Sì, certo: **070-92167033**.

Studente A

Turista

1 Tipo di camera: *camera tripla*

Date: *3-7 settembre*

Numero telefonico: *06-8045376*

Costo della stanza con colazione: _____

Costo della stanza a pensione completa: _____

Costo della stanza a mezza pensione: _____

Albergatore

2 Tipo di camera: _____

Date: _____

Numero telefonico: _____

Costo della stanza con colazione: *80 euro*

Costo della stanza a pensione completa: *100 euro*

Costo della stanza a mezza pensione: *92 euro*

▮ Che ore sono?

Sono...

2.00	le due
3.05	le tre e cinque
4.15	le quattro e un quarto
6.30	le sei e mezza

Sono...

6.40	le sette meno venti
6.40	le sei e quaranta
7.45	le otto meno un quarto
7.45	le sette e quarantacinque

È...

12.00	mezzogiorno
13.00	l'una
24.00	mezzanotte

4a **mp3 T15** Ascolta e scrivi in cifre che ore sono.

1 _____   5 _____   9 _____

2 _____   6 _____   10 _____

3 _____   7 _____   11 _____

4 _____   8 _____   12 _____

❗ **16.30**

~~Le sedici e mezza~~

Le sedici e trenta

4b Leggi questi orari.

- 6.10   • 4.15   • 7.25   • 6.38   • 13.15
- 18.40   • 12.00   • 21.30   • 1.25   • 23.50

4c In coppia. Scrivi 10 orari. A turno, chiedi e scrivi l'ora.

- ■ *Che ore sono?*
- ■ *(Sono) le quattro e mezza.*

- ■ *Scusa, hai l'ora?*
- ■ *Sono le due.*

E7

4d In coppia. A che ora apre? Domanda e completa gli spazi bianchi con le risposte del compagno. Lo studente A guarda questi orari, lo studente B va a in Appendice (p. 124).

- ■ **A che ora** *apre di mattina la banca?*
- ■ **Alle** *8.35.*
- ■ **A che ora** *chiude?*
- ■ **Alle** *13.35.*

aprire   chiudere

Studente A

 Eurobanca
Orario di apertura al pubblico

	mattino	pomeriggio
feriale	8.35 – 13.35	_____
sabato	9 – 13	chiuso

QUESTURA DI TORINO

Orario apertura al pubblico

lunedì-venerdì: 9.00-13.00
martedì e giovedì: _____-17.30

posteinforma

Orario al pubblico
lun/ven
08.30 - 19.00

sab _____

```
BIBLIOTECA
Orari:
Martedì - sabato 9-12.30
                 14-18.30
Chiuso il lunedì
```

MUSEO ARCHEOLOGICO

Orario apertura
feriale   9.30-_____
festivo   9-17.00

**Questa farmacia
osserva il seguente orario**
mattino: _____
pomeriggio: dalle **15.00** alle **19.00**

Confronto tra Culture

Giorni e orari

Confronta gli orari e i giorni di apertura e chiusura in Italia e nel tuo Paese.

E8, 9, 10, 11, 12

Gruppo nominale

La	camera	doppia
↓	↓	↓
articolo	*nome*	*aggettivo*

Nomi

Nomi in *-o* e in *-a*

	maschile	femminile
SINGOLARE	il muse-**o**	la camer-**a**
PLURALE	i muse-**i**	le camer-**e**

Nomi in *-e*

	maschile	femminile
SINGOLARE	il ristorant-**e**	la stazion-**e**
PLURALE	i ristorant-**i**	le stazion-**i**

1a Completa i nomi con le desinenze.

1 La camer**a** ha il bagn___ ?
2 Quante stanz___ ha l'alberg___ ?
3 Compro i francoboll___ per la cartolin___.
4 L'edicol___ vende il giornal___.
5 Dove è la biglietteri___ della stazion___?

6 La farmaci___ chiude alle 19.30.
7 C'è la television___ in camera?
8 Vorrei il cappuccin___ con il cacao.
9 I quadr___ del Museo degli Uffizi sono belli.
10 A Firenze ci sono tre stazion___.

Aggettivi

Aggettivi in *-o* e in *-a*

	maschile	femminile
SINGOLARE	il museo piccol-**o** il ristorante piccol-**o**	la camera piccol-**a** la stazione piccol-a
PLURALE	i musei piccol-**i** i ristoranti piccol-i	le camere piccol-**e** le stazioni piccol-e

Aggettivi in *-e*

	maschile	femminile
SINGOLARE	il museo grand-**e** il ristorante grand-**e**	la camera grand-**e** la stazione grand-e
PLURALE	i musei grand-**i** i ristoranti grand-i	le camere grand-i le stazioni grand-i

2a Qual è il contrario di...?

vecchio	economico	brutto	occupato	grande
libero	piccolo	caro	nuovo	bello

2b Scegli l'aggettivo.

1 L'albergo è *grande / grandi*.

2 La farmacia è *piccola / piccolo*.

3 Il museo è *interessante / interessanti*.

4 Il cameriere è *gentile / gentili*.

5 I bagni sono *piccole / piccoli*.

6 Le stanze sono *nuovi / nuove*.

7 Il campeggio è *economico / economici*.

8 Il bar è *cara / caro*.

9 Il treno è *rumoroso / rumorosi*.

10 La mia camera è *silenziose / silenziosa*.

2c Completa con gli aggettivi. Concorda gli aggettivi con il nome.

caro / turistico / antico / bello / gentile / italiano / piccolo / famoso / simpatico
ottimo / storico / archeologico / importante

Caro Stephan,

come stai? Io sono a Roma, una città molto (1) _____ e molto

(2) _____.

Sono in un (3) _____ albergo nel centro (4) _____;

è un po' (5) _____, ma mi piace e mi trovo bene.

A Roma ci sono (6) _____ musei, per esempio i musei Vaticani

e i musei Capitolini. La cucina (7) _____ è (8) _____

e i romani sono molto (9) _____ e (10) _____

Domani parto per Napoli, l'ultima tappa del mio viaggio (11) _____ in

Italia. Voglio vedere il Vesuvio, il (12) _____ vulcano e i siti

(13) _____ di Pompei ed Ercolano.

Ci vediamo presto.

Un caro saluto,

Carmen

E13, 14

Articoli determinativi

3a Leggi e sottolinea gli articoli.

Il nuovo Bar Castello apre a Milano!

Vieni a provare i panini, le insalate, la pizza,
e l'aperitivo di Mario, il cuoco. Non sarai deluso!

15 maggio, ore 19.00-24.00

Ti aspettiamo per l'inaugurazione!
Per tutta la serata le birre e i cocktail costano 3 euro!
E dalle 22.00 la festa continua con il deejay Osso.

Bar Castello, Via Beltrami 2, Milano

Perché si usa l'articolo *l'* con *aperitivo* e *inaugurazione*?

3b Completa la tabella con i nomi dell'esercizio 3a.

Maschile singolare	Femminile singolare
il bar	

Maschile plurale	Femminile plurale

3c Gioco a squadre. Chi cerca trova! Scrivete tutte le parole che conoscete, con l'articolo.
Avete 10 minuti di tempo. Vince la squadra che scrive più parole.

IN CLASSE	IN CITTÀ	A UNA FESTA	IN VACANZA	LE PROFESSIONI
l'insegnante				

3d Completa con il nome e l'articolo e poi associa le domande alle risposte.

1 ☐ Senta, scusi, in camera c'è _____?

2 ☐ Scusi, nell'albergo c'è _____?

3 ☐ Scusi, una domanda. Nell'albergo c'è _____?

4 ☐ Scusi, vorrei sapere se in camera c'è _____.

5 ☐ Scusi nel campeggio c'è _____?

6 ☐ Scusi, vorrei sapere se nell'albergo c'è _____.

7 ☐ Scusi, in camera c'è _____?

a Sì, certamente, con bibite e snack di ogni tipo.
b No, ma vicino c'è una grande piazza dove può lasciare la macchina.
c No, ma ci sono molti negozi vicini al campeggio.
d No, ma tutte le camere hanno un ventilatore.
e Sì, certo, tutte le camere hanno il bagno.
f No, ma c'è solo un piano.
g No, ma c'è la spiaggia privata a 30 metri dall'albergo.

3e Gioco a squadre. In gruppo. Formate tutti gli abbinamenti possibili. Vince chi ne trova di più. Avete 5 minuti di tempo.

Il / L' / La
I / Le

palazzo / caffè / stazioni / ospedale / albergo / posta / giardini / cartina / ufficio / chiese

pubblico / elettronico / nuovo / grande / geografico / caro / elegante / antico

E15, 16, 17,18, 19

Indicativo presente: introduzione

Verbi *essere* e *avere*

4a mp3 T16 **Ascolto 1.** Vero o falso?

	V	F
1 a Claudia e Paola sono fuori città per lavoro.	☐	☐
b Giuseppe non è in vacanza.	☐	☐
2 a Il museo archeologico è sempre chiuso in inverno.	☐	☐
b Il turista vuole sapere il numero di telefono del museo.	☐	☐
3 a Il turista vuole prenotare una stanza singola.	☐	☐
b L'albergo ha ancora camere libere.	☐	☐

4b mp3 T16 **Ascolto 2.** Completa con i verbi *essere* e *avere*.

1 ▪ Pronto?
  ▪ Pronto, ciao Claudia, _____ Giuseppe. Come stai?
  ▪ Ciao Giuseppe! Sto bene, grazie, _____ a Venezia con Paola.
  ▪ Davvero? _____ a Venezia in vacanza o per lavoro?
  ▪ _____ in vacanza, per fortuna! E tu dove _____?
  ▪ Purtroppo io _____ a casa, Marta ha molto lavoro e non andiamo in vacanza.
  ▪ Ah, peccato!

2 ▪ Ufficio informazioni turistiche, buongiorno.
  ▪ Sì, buongiorno, vorrei sapere se il museo archeologico _____ aperto anche di domenica.
  ▪ In estate sì, nel resto dell'anno invece _____ aperto solo dal lunedì al sabato.
  ▪ Va bene, grazie. _____ un'altra domanda, il museo _____ un sito internet?
  ▪ Certo, è www.museoarc.it.

3 ▪ Hotel Villa Bianca, buongiorno.
  ▪ Buongiorno, vorrei sapere se _____ una camera singola libera per il prossimo fine settimana.
  ▪ Mi dispiace, ma non _____ più camere libere. L'albergo è al completo.

essere		avere	
io	sono	io	ho
tu	sei	tu	hai
lui/lei/Lei	è	lui/lei/Lei	ha
noi	siamo	noi	abbiamo
voi	siete	voi	avete
loro	sono	loro	hanno

Lei (formale)
• Signor Cooper, Lei è americano?
• Signor Cooper, ha un documento, per favore?

E20, 21

Verbi in -are

c Leggi la e-mail e rispondi.

  1 Dove abita Katia? Con chi vive?
  2 Che lavoro fa?

Cara Inna,
come va? Io sto bene, mi piace l'Italia e adoro Milano! Abito
in un appartamento molto carino vicino alla stazione con
due ragazze italiane. Si chiamano Francesca e Lorena e sono
due studentesse universitarie, studiano economia. Di solito
parliamo inglese, perché io non parlo ancora molto bene
l'italiano, ma ogni giorno imparo qualche parola nuova.
La vita a Milano costa molto, per fortuna io lavoro in un
grande albergo e il mio stipendio è buono.
Tu quando arrivi in Italia?
Mi manchi tanto!
Un bacio,
Katia

d Rileggi, sottolinea i verbi e completa la tabella.
      Confronta con un compagno.

	lavor-are
io	lavor-_____
tu	lavor-**i**
lui/lei/Lei	lavor-_____
noi	lavor-_____
voi	lavor-**ate**
loro	lavor-_____

e **Il dado dei verbi!** (Appendice, p. 125)
      In coppia, a turno. Pesca una carta con il verbo all'infinito,
      poi tira il dado. Ogni numero corrisponde a una persona
      (1 = io; 2 = tu...). Coniuga il verbo al presente.

ES. verbo mangiare + dado n. 4 = *noi mangiamo*

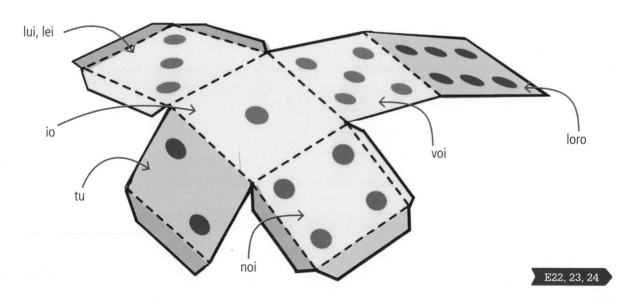

E22, 23, 24 ▶

Pronuncia

Intonazione dichiarativa e interrogativa

1 a **mp3 T17** Ascolta. Osserva l'intonazione e prova a ripetere.

1 Il treno riparte alle 15.00.
2 La colazione è dalle 8.00 alle 10.00.

3 A che ora apre il museo?
4 Quanto costa la camera doppia?

1 b **mp3 T18** Ascolta e segna con una X le domande. Le domande hanno il tono della frase che sale.

1	2	3	4	5	6	7	8

1 c **mp3 T19** Ascolterai la stessa frase due volte. La prima frase ha un'intonazione dichiarativa (↘); decidi se la seconda frase ha un'intonazione dichiarativa oppure interrogativa (→).

	1	2	3	4	5	6	7	8
↘								
→								

1 d **mp3 T20** Ascolta e ripeti con l'intonazione giusta.

Le consonanti doppie

In italiano le consonanti doppie sono molto importanti perché cambiano il significato di una parola:
es. La nona stanza = "la stanza numero nove"
La nonna di Lucia = "la mamma della mamma di Lucia"
Le consonanti doppie hanno il suono lungo.

2 a **mp3 T21** Ascolta i cognomi e segna con una X dove senti il suono lungo.

1	2	3	4	5	6	7	8

2 b **mp3 T22** Ascolta queste coppie di nomi di città e segna con una X dove senti il suono lungo.

	1	2	3	4	5	6	7	8
A								
B								

2 c **mp3 T23** Ascolta e scrivi il messaggio che Todd invia a un suo amico a Bologna.

_____

_____

_____

E8, 25, 26, 27

1 Le carte del viaggiatore

Gioco a squadre di 4 persone.
Ascoltate le istruzioni dell'insegnante (vedi guida).

2 All'ufficio informazioni (role-play)

Lo studente A è un turista straniero, lo studente B
è l'impiegato dell'ufficio informazioni.

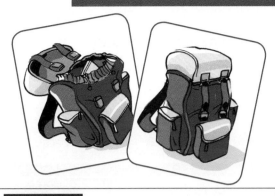

Studente B

Lavori all'ufficio informazioni di Napoli,
in questo periodo in città ci sono molti stranieri
in vacanza. Dai ai turisti queste informazioni.

Museo Archeologico Nazionale
Apertura: tutti i giorni 9-20.
Chiuso il martedì.

Castel Nuovo (Maschio Angioino)
Apertura: Aperto tutti i giorni 9.00-19.00.
Chiuso la domenica.

Ufficio cambio
Stazione centrale FS
Piazza Garibaldi
80142 Napoli
Dalle 8.30 alle 20.00 orario continuato

Spettacolo "Ridere 2013"
Teatro Totò

10 AGOSTO
– 15 SETTEMBRE
Tutte le sere alle ore 21.30
Biglietto 12 euro

Studente A

Sei in vacanza a Napoli. È la prima volta
che visiti la città e vai all'ufficio turistico
per chiedere informazioni su:

- giorni e orari di apertura dei musei (Museo
  archeologico nazionale, Castel Nuovo)
- orari dei treni per Pompei
- quanto costa un biglietto per uno spettacolo
  al Teatro Totò
- orari dell'ufficio cambio

ORARI DEI TRENI	
Napoli Centrale	**Pompei**
11.43	12.17
12.29	13.04
12.52	13.17
13.29	14.04

3 **Visita all'Acquario di Genova**

Tra 10 giorni vai a Genova per lavoro e vuoi visitare l'acquario. Completa il modulo per comprare i biglietti online.

🔴⚫⚪

◀ ▶ ▾   🔄   ✖   🏠   www.acquariodigenova.it

biglietteria online   scegli il biglietto ▶ ▶ ▶ ▶

Cognome:
[_____]

Nome:
[_____]

Nazione
[_____]

Città
[_____]

Data di nascita:
[____▾] [_____▾] [___▾]

e-mail:
[_____]

Telefono:
[_____]

Lingua:
[_____]

Giorno della visita:
[____▾] [_____▾] [___▾]

Orario: [_____]

Numero biglietti adulti (23€): [_____]

Numero biglietti bambini 4-12 (15€): [_____]

Totale da pagare [_____] €
(scrivere il totale in lettere)

Modalità di pagamento
Sono accettate le seguenti carte di credito:
– Master Card
– Visa

---

4 **La cartolina**

Scrivi una cartolina a un amico. Sei in vacanza: descrivi il tuo albergo e il posto dove sei.

SALUTI
(in una cartolina/lettera informale)
• Saluti   • Un bacio   • Tanti cari saluti
• A presto   • Baci   • Un abbraccio

Caro/Cara

come stai? Sono a

Frasi utili per...

1 Gioco a squadre. La squadra A completa questa tabella, la squadra B completa la tabella in Appendice (p. 125). Poi controllate le risposte della squadra avversaria.

Squadra A

attirare l'attenzione	Scusa... / Senti, scusa... (informale)	Scusi... / Senta, scusi... (formale)
fare una richiesta	Vorrei dei francobolli. (*Vorrei* + NOME) Vorrei cambiare dei dollari. (*Vorrei* + VERBO INFINITO)	
	domandare	**rispondere**
chiedere il costo	Quanto costa una singola? Vorrei sapere quanto costa la camera singola.	
chiedere la durata		Due notti. / Il 12 e il 13 marzo. Per il 12 e il 13 di marzo.
chiedere se c'è qualcosa	Senta, scusi, nell'albergo c'è la piscina? Vorrei sapere se c'è la televisione in camera.	
chiedere conferma	La stanza è la 302, vero / giusto?	
chiedere orari		Sono le due. È l'una / mezzanotte / mezzogiorno. Alle 19.30.
chiedere di dire un nome lettera per lettera	Come scusi? Può ripetere? Come si scrive per favore?	(Leo) Elle e o. (Leo) Livorno Empoli Otranto.
	testo scritto informale	**testo scritto formale**
iniziare una lettera/cartolina	Caro Sandro / Cara Sandra	
concludere una lettera/cartolina		Cordiali saluti. / Distinti saluti.

I miei appunti

Città d'Italia

1a Leggi e scrivi in ordine i nomi delle città.

Gli stranieri amano il Belpaese

Ecco le dieci città italiane più visitate dai turisti stranieri

La Capitale guida la classifica delle località italiane più visitate dai turisti stranieri, davanti ad altre due città tradizionalmente amate dai viaggiatori internazionali come Venezia e Milano. In quarta posizione le meraviglie di Firenze, seguite dal mare di Sorrento, che, soprattutto durante la stagione estiva, attira turisti da tutto il mondo.

La seconda metà della classifica vede altre città famose in tutto il mondo: la cosmopolita Bologna è in sesta posizione, seguita dalle bellezze di Napoli, da due città d'arte come Pisa e Verona e infine dal mare di Palermo.

(adattato da www.buonviaggioitalia.it)

MILANO **VENEZI**
VERONA
BOLOGNA
FIRENZE
PISA
ROMA
PALERM

1b Leggi i commenti dei turisti e abbinali alle città.

Sarah81: Un detto dice che dopo aver visto questa città puoi anche morire, perché è così bella che se l'hai vista, puoi morire in pace. Non perdetevi Piazza del Plebiscito, il Palazzo Reale, le isole e il Vesuvio!

Pablo92: È una città sull'acqua magica e romantica. Da non perdere Piazza San Marco e un giro in gondola!

YenYen: È la capitale della moda e un importante centro dell'economia italiana, ma c'è anche tanta arte e cultura, l'*Ultima cena* di Leonardo da Vinci si trova in questa città.

Matias e Cristina: È la città di Romeo e Giulietta, chi non la conosce? Da non perdere la visita all'Arena e la casa di Giulietta.

Romain: La cupola del Brunelleschi, il campanile di Giotto, Il David di Michelangelo, la Galleria degli Uffizi…
Se ami l'arte e il Rinascimento non puoi perderti questa città!

Andrei: Questa città è uno dei gioielli della costa tirrenica. impossibile non innamorarsi dei colori del cielo e del mare e del profumo di limoni che si respira.

Karin: È famosa per la sua torre pendente, ma oltre alla torre c'è molto altro da vedere in questa bella città toscana.

NAPOLI

ORRENTO

Jane: Il Colosseo, la fontana di Trevi, i fori imperiali… preparatevi ad entrare nel più grande museo a cielo aperto del mondo!

Oscar95: In questa città c'è la più antica università del mondo occidentale. Ecco perché tanti studenti stranieri come me vengono a studiare qui. La Torre degli Asinelli e la fontana di Nettuno sono bellissime!

Markus: È la più grande città della Sicilia. La sua architettura arabo-normanna è molto interessante. Da non perdere la magnifica cattedrale e il Palazzo dei Normanni.

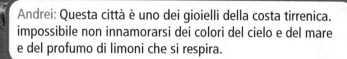

Lessico

1 Rispondi con il nome dei servizi pubblici.

1 Dove compro le medicine? In _____.

2 Dove prendo il treno? In _____.

3 Dove compro i francobolli? Dal _____.

4 Dove compro il giornale? In _____.

5 Dove posso spedire un pacco? In _____.

6 Dove chiedo informazioni sulla città? All'_____.

7 Dove vado se sto male? In _____.

punteggio _____ / 7

2 Che cosa c'è nell'albergo? Scrivi il nome sotto ai simboli.

1 l'_____ 2 il _____ 3 il _____

4 la _____ 5 la _____ 6 il _____

punteggio _____ / 6

3 Scrivi le ore.

1 **11:15** Sono le _____.

2 **18:30** Sono le _____.

3 **19:40** Sono le _____.

punteggio _____ / 3

Lessico: punteggio totale _____ / 16

Funzioni

4 Abbina domande e risposte.

1 ☐ A che ora parte il treno per Torino?

2 ☐ Quanto costa la camera doppia?

3 ☐ Come si scrive il suo cognome?

4 ☐ Scusa, sai che ore sono?

5 ☐ La banca è aperta nei giorni festivi?

6 ☐ Qual è l'indirizzo della biblioteca?

7 ☐ C'è la televisione in camera?

a Via Mazzini, 4.

b No, la domenica è chiusa.

c Effe, a, zeta, i, o.

d 50 euro con colazione.

e Le cinque e mezza.

f No, non c'è.

g Alle 19.30, dal binario 2.

punteggio _____ / 7

5 Riordina il dialogo tra il barista e il cliente.

a ☐ Ecco a Lei. Sono 80 centesimi.

b ☐ Grazie e arrivederci.

c ☐ Macchiato, grazie.

d ☐ Buongiorno, posso avere un caffè?

e ☐ Certo, come lo vuole? Normale o macchiato?

punteggio	_____ / 5

Funzioni: punteggio totale	_____ / 12

Grammatica

6 Completa con gli articoli determinativi o la desinenza dei nomi e degli aggettivi.

> # BAIA VERDE:
> ## il tuo campeggio sul mare nel cuore della Toscana
>
> Un (1) mar___ (2) splendid___, una spiaggia (3) grand___ e (4) privat___, ideale per famiglie
> che desiderano trascorrere (5) ___ vacanze in relax e stare a contatto con la (6) natur___.
> Il campeggio Baia Verde vi offre tanti (7) serviz___ di qualità: un (8) ampi___ parco giochi, due
> (9) piscin___ (10) nuov___ per adulti e bambini, un bar e un minimarket.
> Nel campeggio c'è (11) ___ collegamento Internet wi-fi gratuito per tutti (12) ___ clienti.

punteggio	_____ / 12

7 Leggi la cartolina e completa.

5 giugno 2013

Caro Michele,
come stai? Io benissimo. (1) _____
(essere) in Liguria per due settimane a trovare
la mia amica Anna che (2) _____
(abitare) a Sanremo. Anna (3) _____
(avere) una casa bellissima sul mare, di giorno
(4) _____ (noi, nuotare),
(5) _____ (noi, camminare) insieme
sulla spiaggia e la sera Anna (6) _____
(cucinare) sempre il pesce. (7) _____
(essere) una cuoca bravissima! Tra 5 giorni io
(8) _____ (tornare) a Milano. Quando
(9) _____ (arrivare), ti (10) _____
(telefonare).
A presto!

Mina

Michele Passoni

Via Berizzi, 15

20122 Milano

punteggio	_____ / 10

Grammatica: punteggio totale	_____ / 22

PUNTEGGIO TOTALE DEL TEST	_____ / 50

Unità 03 Che cosa fai oggi?

In questa unità impari a parlare di che cosa fai durante la giornata, durante la settimana e nel tuo tempo libero.

1 Che cosa fanno le persone di queste pagine? Quali sono tipicamente italiane secondo te?

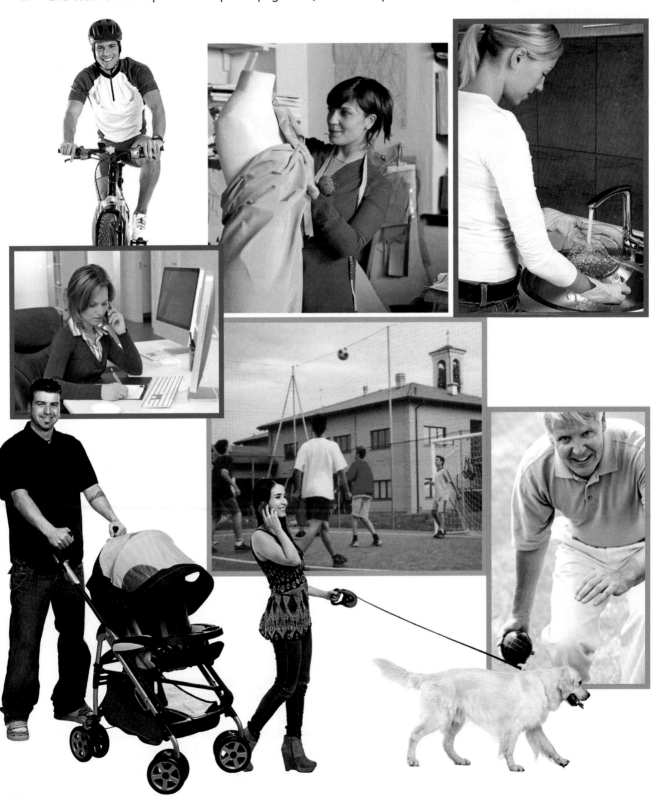

2   Associa i verbi ai disegni.

1 ☐ alzarsi
2 ☐ prendere la metropolitana
3 ☐ andare a lavorare
4 ☐ fare la spesa
5 ☐ cucinare
6 ☐ mangiare
7 ☐ guardare la TV
8 ☐ fare sport
9 ☐ andare a letto

3   Scrivi le parole al posto giusto.

moglie / (la) nipote / figlio / mamma / nonno / marito / papà / figlia / nonna / (il) nipote

_____   _____   _____

_____   _____   _____

_____   _____   _____

_____

Per capire

1 a **Prima di ascoltare.** Guarda la foto di Giulia e fai ipotesi. Chi è?

MARITO?

CITTÀ?

FIGLI?

TEMPO LIBERO?

LAVORO?

1 b **mp3 T24** **Ascolto 1.** Rispondi alle domande.

1 Come è composta la famiglia di Giulia?
2 Chi lavora?

1 c **mp3 T24** **Ascolto 2.** Vero o falso?

	V	F
1 Giulia e la sua famiglia abitano a Milano.	☐	☐
2 Il marito di Giulia lavora a Milano.	☐	☐
3 Il marito di Giulia è impiegato.	☐	☐
4 Giulia porta i bambini a scuola.	☐	☐
5 Giulia lavora in un bar.	☐	☐
6 Il figlio di Giulia il pomeriggio va sempre dai nonni.	☐	☐
7 Tutta la famiglia si incontra per cena.	☐	☐
8 Dopo cena Giulia lava i piatti e il marito gioca con i bambini.	☐	☐

1 d **mp3 T25** Ascolta e completa la tabella.

	sveglia alle…	orario di lavoro	pranzo in…	mezzi di trasporto
Giulia				
Sandro				

1 e **mp3 T26** Ascolta. In quali giorni della settimana Luigi fa queste cose? Metti una X.

	LUNEDÌ	MARTEDÌ	MERCOLEDÌ	GIOVEDÌ	VENERDÌ	SABATO	DOMENICA
1 Luigi va dai nonni							
2 Luigi va in piscina							
3 Luigi va all'oratorio							

Confronto tra Culture

L'oratorio

L'oratorio è uno spazio vicino alla chiesa di un paese o di un quartiere della città dove i ragazzi possono giocare. Nel tuo Paese c'è qualcosa di simile? Dove giocano i bambini e i ragazzi?

I nonni

In Italia i nonni sono importanti per la famiglia. Anche nel tuo Paese?

E1, 2

La giornata

1a Associa le frasi ai disegni.

1 ☐ Mi sveglio presto.
2 ☐ Mi vesto.
3 ☐ Lavoro in una libreria.
4 ☐ Pranzo in un bar.
5 ☐ Lavo i piatti.
6 ☐ Leggo un libro.
7 ☐ Vado in piscina.
8 ☐ Torno a casa.
9 ☐ Studio.
10 ☐ Esco con gli amici.
11 ☐ Dormo.

1b In coppia. Racconta al compagno che cosa fai la mattina, il pomeriggio... Usa le azioni dell'esercizio 1a.

es. *La mattina mi sveglio presto.*

la mattina   il pomeriggio   la sera   la notte

E3

▍ Giorni della settimana

2a **Leggi e rispondi alle domande.**

●●○ ✉

Caro Roberto,
sono solo le 7 del mattino, ma sono già al lavoro. Qui la gente inizia presto a lavorare perché
nelle ore calde del pomeriggio fa la siesta. Riprendono poi alle cinque, quindi il mio lavoro in
Messico è dalle 6 alle 12 e dalle 17 alle 19. Il lunedì, il mercoledì e il venerdì durante la pausa del
pomeriggio frequento un corso di spagnolo commerciale. Il martedì invece vado sempre in piscina
e il giovedì di solito mi fermo in ufficio per preparare la relazione che ogni venerdì devo spedire al
direttore commerciale in Italia. La sera dopo le otto esco sempre a mangiare con i nuovi colleghi,
che sono molto simpatici. Poi il martedì sera gioco a carte in un circolo di italiani e il venerdì vado
regolarmente in qualche locale, ogni volta diverso, ad ascoltare musica latino americana e a ballare!
Il sabato vado spesso al mare e la domenica di solito vado a visitare qualche località turistica.
Insomma, sto proprio bene qui, a parte il caldo terribile!!!
Un caro saluto a tutti i colleghi del nostro ufficio

Mauro

	V	F
1 Mauro è in Messico per lavoro.	☐	☐
2 Mauro lavora solo la mattina.	☐	☐
3 Roberto è un collega di Mauro.	☐	☐

> **Il martedì** vado in piscina.
> = TUTTI i martedì vado in piscina.
> **Martedì** vado in piscina.
> = IL PROSSIMO martedì
>   vado in piscina.

2b **Scrivi che cosa fa Mauro durante la settimana.**

8 Lunedì	**9** Martedì	**10** Mercoledì	**11** Giovedì	**12** Venerdì	**13** Sabato
6 _____	6 _____	6 _____	6 _____	6 _____	8 _____
8 _____	8 _____	8 _____	8 _____	8 _____	12 _____
10 _____	10 _____	10 _____	10 _____	10 _____	20 _____
12 _____	12 _____	12 _____	12 _____	12 _____	24 _____
14 _____	14 _Piscina_	14 _____	14 _Scrivere relazione_	14 _____	**14** Domenica
16 _____	16 _____	16 _____	16 _____	16 _____	8 _____
18 _____	18 _____	18 _____	18 _____	18 _____	12 _____
20 _____	20 _____	20 _____	20 _____	20 _____	16 _____

2c **Gioco: La dura settimana di Luigi.**
**In coppia. Seguite le istruzioni
dell'insegnante in Appendice
(p. 126).**

Il lunedì pomeriggio

QUANDO VA IN PISCINA LUIGI?

E4 ▶

Avverbi di frequenza

3a **Completa.**

1 I bambini _____ leggono.
2 Sandro _____ legge il giornale.
3 Luigi va _____ dai nonni.
4 Io _____ pranzo _____ in mensa.
5 La sera usciamo _____.
6 La sera mangiamo _____ insieme.

> La sera mangiamo **sempre** insieme.
> L'avverbio *sempre* si mette dopo il verbo.
>
> Io **non** pranzo **mai** in mensa.
> Con l'avverbio *mai* ci vuole
> *non* prima del verbo.

Sempre	●●●●●●●●●●●●●●●●●●●●●●●●
Di solito	● ● ● ● ● ● ● ● ● ● ● ● ●
Spesso	● ● ● ● ● ● ● ● ● ●
Qualche volta	● ● ● ● ● ● ● ●
Raramente	● ● ● ●
Mai	

3b 🎵 **mp3 T27** Associa le frasi ai disegni. Poi ascolta e indica quante volte le persone fanno queste cose.

a ☐ andiamo a trovare i nonni   qualche volta
b ☐ usciamo il sabato sera   non .... mai
c ⑨ facciamo qualcosa con i bambini sempre
d ☐ andiamo al cinema   qualche volta
e ☐ fa la spesa   una volta alla settimana
f ☐ cucina   raramente
g ☐ vado a correre   sempre
h ☐ vado in piscina   due sere alla settimana
i ☐ gioco a pallavolo   di solito

▶ E5

3c Con che frequenza (es. *spesso*) fai queste attività? Completa la tabella, poi intervista il tuo compagno.

> sempre / qualche volta / una/due volta/e alla settimana/al giorno
> non... mai / raramente / ~~spesso~~ / di solito

	io
andare al cinema	**Io** *vado spesso al cinema il sabato sera.* **E tu?**
fare sport	Io faccio…
andare a trovare gli amici	
guardare la televisione	
giocare con la playstation/il computer	
leggere il giornale/un libro	
pregare	
andare a cena fuori	Io vado…
visitare musei o mostre	
comprare online	

▌Invitare qualcuno a fare qualcosa

CHE COSA FAI DI BELLO OGGI?

4a `mp3 T28` **Ascolto 1** Rispondi alle domande.

1 Perché Carolina chiede a Silvia che cosa fa oggi?
 a Perché ha bisogno di un favore.
 b Perché vuole andare a casa sua.
 c Perché vuole fare qualcosa con lei.

2 Dove vuole andare Carolina?
 a All'aeroporto.
 b Al centro commerciale.
 c Alla mostra.

3 Alla fine:
 a Silvia non accetta la proposta di Carolina.
 b Silvia fa un'altra proposta e Carolina accetta.
 c Le due amiche non si accordano.

4 Per quando si danno appuntamento le due amiche?
 a Oggi pomeriggio.
 b Stasera.
 c Domani.

5 Dove si incontrano?
 a In via Paleocapa.
 b In stazione.
 c In palestra.

4b `mp3 T29` **Ascolto 2.** Scegli la risposta giusta.

1 Che cosa deve fare oggi Silvia? Deve...

☐ fare le pulizie. ☐ fare la spesa. ☐ fare la doccia. ☐ fare ginnastica. ☐ fare i regali di Natale.

2 Di quali luoghi del tempo libero parlano?

☐ la galleria d'arte ☐ la palestra ☐ il teatro ☐ il centro commerciale

☐ la discoteca ☐ il bar ☐ lo stadio

`E6, 7`

4c `mp3 T29` **Ascolto 3.** Riordina le parole e completa il dialogo con le frasi riordinate. Poi riascolta il dialogo e verifica.

a venire / Vuoi / me / con _____?
b dispiace / mi / No grazie, / voglia / ma / non ho _____.
c oggi / di bello / fai / Che cosa <u>Che cosa fai di bello oggi?</u> _____
d si può / bene, / Va / fare _____.
e assieme / qualcosa / Facciamo _____?
f non / invece / Perché / andiamo _____?

Carolina: (1) (*si informa sui programmi della giornata*) <u>Che cosa fai di bello oggi?</u>
Silvia: Mah, senti, questa mattina devo uscire a fare la spesa perché domani ho gente a pranzo, e poi voglio anche fare un po' le pulizie di casa...
Carolina: (2) (*propone di fare qualcosa insieme*) _____?
(3) (*invita*) _____ in un centro commerciale che hanno aperto vicino all'aeroporto?
Silvia: (4) (*rifiuta cortesemente e spiega perché*) _____
andare in un centro commerciale, c'è troppa gente di sabato e poi... (5) (*fa una nuova proposta*)
_____ a vedere la mostra alla Galleria...
Carolina: Ah, (6) (*accetta la proposta*) _____ Dove ci vediamo?

4d In coppia. A turno. Ripetete questo dialogo. Cambiate le parti colorate con le frasi che trovate sotto.

■ Che fai di bello oggi?

■ Mah, questa mattina *devo fare la spesa* e poi sono libero.

■ Allora, facciamo qualcosa assieme oggi pomeriggio? Vuoi venire con me *a fare una passeggiata*?

■ Mi dispiace ma non ho voglia di *fare una passeggiata*. Perché non *andiamo in un bar a bere qualcosa*?

■ Va bene, si può fare.

- devo andare dal dentista
- devo studiare
- devo stare con i miei nipotini
- devo lavorare
- devo accompagnare Paolo all'aeroporto
- devo andare in biblioteca

- vedere un film
- fare un giro in centro
- camminare nel parco
- fare shopping
- fare una gita al lago
- fare un bagno in piscina

- al parco a correre
- a mangiare qualcosa
- a giocare a tennis
- a vedere una mostra
- a trovare Silvia
- allo stadio

4e In coppia. Inventate un dialogo al telefono.

> E8, 9

Studente A

■ Ti informi sugli impegni del tuo compagno / della tua compagna per stamattina / oggi pomeriggio / stasera / domani mattina / domenica...

■ Gli/le proponi di fare qualcosa insieme.

■ Proponi un'alternativa.

Studente B

■ Parli dei tuoi programmi per stamattina / oggi pomeriggio / stasera / domani mattina / domenica...

■ Rifiuti cortesemente la proposta e spieghi perché.

■ Trovate un accordo.

4f A gruppi di tre. Programmate un sabato sera da passare con tutta la classe. Poi la classe sceglie il migliore.

Indicativo presente: verbi regolari

1a Osserva le frasi. Trova l'infinito dei verbi e poi scrivi i verbi nel box giusto.

Paolo <u>arriva</u> a Milano alle 8.	arriva → arriv**are**	1ª coniugazione
Paolo <u>prende</u> il treno.	prende → prend**ere**	2ª coniugazione
Paolo <u>parte</u> presto la mattina.	parte → part**ire**	3ª coniugazione

1   <u>Preparo</u> la colazione.
2   Porto i bambini a scuola in macchina.
3   Io <u>preferisco</u> leggere qualche rivista.
4   Finisce di lavorare alle cinque e mezza.
5   I bambini qualche volta leggono.
6   Quando ritorniamo a casa preparo
     la merenda ai bambini.
7   La mattina dormo fino alle 9.
8   Spesso cucina mio marito.
9   La domenica corriamo nel parco.
10 Di solito mangio in mensa.
11 La sera vediamo insieme un bel film.

-are
Preparo (preparare)

-ere

-ire
preferisco (preferire)

1b Completa la tabella dei verbi delle tre coniugazioni.

	lavor-are	vend-ere	part-ire	fin-ire
io	lavor-o			fin-isc-o [k]
tu		vend-i		[ʃ]
lui/lei			part-e	fin-isc-e [ʃ]
noi		vend-iamo		
voi				
loro	lavor-ano		part-ono	[k]

E10

1c  **Il dado dei verbi.** (Appendice, p. 127)
In coppia, a turno. Pesca una carta con il verbo all'infinito,
poi tira il dado. Ogni numero corrisponde a una persona
(1 = *io*; 2 = *tu*...). Coniuga il verbo al presente.

es. verbo *mangiare* + dado n. 4 = *noi mangiamo*

MANGIARE

1 d 🎲 **In coppia. A turno tirate il dado e avanzate. Osservate il disegno sulla casella, dite l'infinito del verbo, poi formate una frase con la persona indicata sul dado (1 = *io*; 2 = *tu* ...). Attenzione! La frase deve avere minimo 4 parole.**

es. dado n. 3 + casella n. 2 = *Il bambino mangia il gelato.*

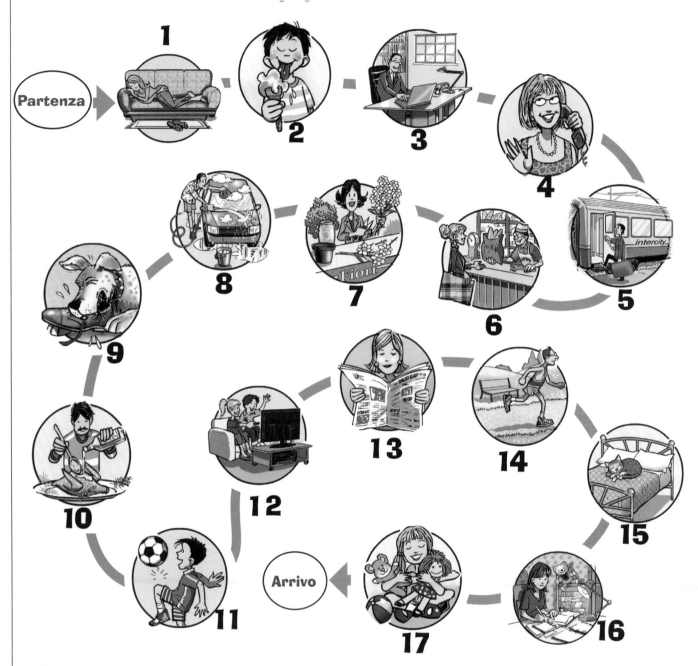

1 e **Tiziano racconta a un amico della sua vita in Sardegna. Completa con i verbi al presente.**

Io e mia moglie (1) _____ (*vivere*) in Sardegna, dove (2) _____ (*avere*) un piccolo negozio di souvenir. Io (3) _____ (*lavorare*) il legno e la ceramica; mia moglie invece sta in negozio e (4) _____ (*vendere*) gli oggetti che io (5) _____ (*preparare*) e altri prodotti dell'artigianato locale.

D'estate (6) _____ (*esserci*) molti turisti che (7) _____ (*arrivare*) dall'Italia e dall'estero e così (8) _____ (*finire*) di lavorare sempre molto tardi. D'inverno, però, il negozio (9) _____ (*chiudere*) e noi (10) _____ (*partire*) finalmente per una lunga vacanza in montagna, sulle Dolomiti.

Indicativo presente: verbi riflessivi

2a In quale frase il verbo è riflessivo?

1 Io mi sveglio alle 7.
2 Poi sveglio i bambini.

2b Scrivi l'infinito del verbo riflessivo.

es. Mi sveglio alle 7. _____svegliarsi_____

1 Mi trucco un po'. _____
2 Mio marito si alza alle sei. _____
3 Luca si veste da solo. _____
4 Noi ci divertiamo molto. _____

2c Completa la forma riflessiva del verbo *svegliarsi*.

	svegliar/si
io	**mi** svegli-o
tu	
lui/lei/Lei	
noi	
voi	**vi** svegli-ate
loro	

2d Completa con la forma riflessiva o quella non riflessiva.

es. Giulia **si pettina**.   Giulia **pettina** Alfredo.

lavare / lavarsi
1 Tutte le sere, dopo cena, Cristina _____.
2 La mattina, prima di andare al lavoro, Carla _____ suo figlio Marco.

svegliare / svegliarsi
3 Anche la domenica, quando può dormire, Luca _____ sempre alle 7.
4 Mia mamma tutte le domeniche _____ mio fratello a mezzogiorno.

vestire / vestirsi
5 Io non seguo la moda, _____ con vestiti comodi.
6 Michela _____ sempre i suoi bambini con abiti alla moda.

▶ E11

▌ Indicativo presente: alcuni verbi irregolari

3a Sottolinea in queste frasi il presente dei verbi irregolari. Qual è l'infinito del verbo? Che cosa è irregolare nel presente: la radice o la desinenza?

1 Vado a lavorare a Milano.
2 La mattina facciamo colazione insieme.
3 I bambini vogliono sempre andare al parco.
4 La sera non esco quasi mai.

vad	-o
radice	**desinenza**

3b Gara a gruppi. Vince chi completa prima la tabella con i verbi irregolari che vi dà l'insegnante (Appendice p. 128).

	andare	dovere	fare	volere	venire	uscire
io				voglio	vengo	
tu	vai		fai	vuoi	vieni	esci
lui/lei/Lei		deve	fa			
noi	andiamo	dobbiamo		vogliamo	veniamo	usciamo
voi	andate		fate			uscite
loro		devono				

> E12

3c 🎲 **Il dado dei verbi.** (Appendice p. 128)
In coppia, a turno. Pesca una carta con il verbo all'infinito, poi tira il dado. Ogni numero corrisponde a una persona (1 = *io*; 2 = *tu*...). Coniuga il verbo al presente.

es. verbo *venire* + dado n. 3 = lui / lei viene

▌ Indicativo presente: sintesi

4a **Prima di ascoltare.** Guarda le foto e immagina: chi sono? che cosa fanno?

4b **mp3 T30** Ascolta e associa le immagini alle interviste.

1 Prima intervista: _____
2 Seconda intervista: _____
3 Terza intervista: _____

4c **mp3 T30** Completa con i verbi al presente: i verbi in grassetto sono riflessivi e quelli sottolineati sono irregolari. Poi riascolta e verifica.

1 La mattina di solito (1) _____ (*alzarsi*) piuttosto presto, intorno alle sette, (2) _____ (*fare*) colazione, (3) _____ (*prepararsi*) e poi (4) _____ (*uscire*) perché entro le otto e mezza (5) _____ (*dovere*) trovarmi di fronte alla scuola dove (6) _____ (*fare*) servizio come vigile di quartiere, nel senso che (7) _____ (*fare*) attraversare le strisce pedonali ai bambini che (8) _____ (*dovere*) andare a scuola. Poi tutte le mattine (9) _____ (*comprare*) il pane e il giornale e (10) _____ (*tornare*) a casa.

2 (1) _____ (*alzarsi*) alle 8 del mattino e con calma mi (2) _____ (*fare*) la doccia, (3) _____ (*uscire*) e (4) _____ (*andare*) a lavorare. (5) _____ (*lavorare*) dalle 9 fino

alle 5 del pomeriggio. E poi finalmente (6) _____ (*essere*) libera! Un pomeriggio alla settimana almeno (7) _____ (**fermarsi**) in centro a fare shopping e (8) _____ (*guardare*) le vetrine, un pomeriggio (9) _____ (*andare*) dall'estetista e il venerdì invece di solito (10) _____ (*andare*) in piscina.

3 Che sonno la mattina! Mi (1) _____ (*dovere*) alzare alle 7 per prendere l'autobus che mi (2) _____ (*portare*) in città perché (3) _____ (*iniziare*) le lezioni alle otto. (4) _____ (*essere*) a scuola dalle 8 alle 13. Oggi per esempio (5) _____ (*avere*) due ore di matematica, un'ora di inglese e due ore di educazione fisica. Poi per ritornare a casa di solito (6) _____ (*prendere*) un passaggio dai genitori di qualche mio compagno di classe.

▶ E13, 14

4d Fai le domande usando il *tu* 👤 e il *Lei* formale 👔.

es. 1 Mi alzo alle 8.
*A che ora **ti alzi**?*   *Signor/Signora Rossi, a che ora **si alza**?*
2 Faccio colazione a casa, prendo un tè.
3 Vado al lavoro in macchina.
4 Comincio a lavorare alle 8.30.
5 A pranzo mangio in un self-service.
6 Dopo il lavoro di solito vado in palestra.
7 Ceno a casa con mio marito.
8 La sera di solito resto a casa.

> Con *Lei* formale il verbo è alla 3ª persona
>
> A che ora?
> Dove?
> Che cosa?
> Come?
> Quando?

4e In coppia. A turno, chiedete al vostro compagno come passa la sua giornata.

es. ▪ E tu a che ora ti alzi?
▪ Io invece...

4f Guarda i disegni. Come passano la giornata Angelo e Monica?

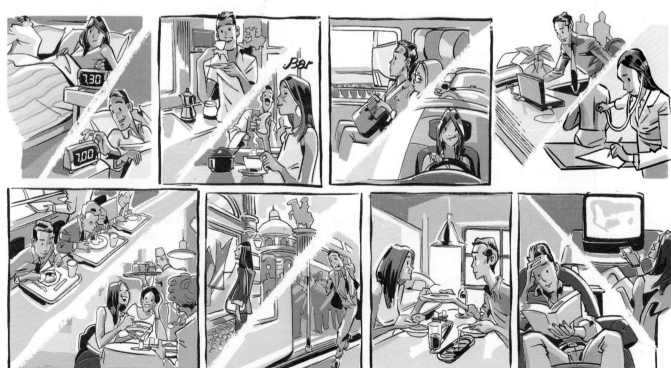

4g In coppia. Immaginate la giornata dell'insegnante. Raccontate.

▶ E15, 16

Aggettivi possessivi: *mio*, *tuo*, *suo*

5a Leggi e sottolinea gli aggettivi possessivi con l'articolo come nell'esempio.

MAMMA, DOV'È IL MIO ZAINO?

MAMMA, DOV'È LA MIA VALIGIA?

MAMMA, DOVE SONO I MIEI PANTALONI?

MAMMA, LA NONNA CERCA I SUOI OCCHIALI. DOVE SONO?

IN CAMERA.

IN SOGGIORNO.

SUL LETTO.

SUL TAVOLO.

IN BAGNO.

MAMMA, IL NONNO CERCA IL SUO MAGLIONE. DOV'È?

PAPÀ, DOV'È IL TUO PASSAPORTO?

MAMMA, DOVE SONO LE MIE SCARPE?

SULLA SEDIA.

CHIEDI ALLA MAMMA!

5b Completa la tabella.

	di me	di te	di lei	di lui
singolare	il mio amico	il _____ amico	il _____ amico	il _____ amico
	la _____ amica	la tua amica	la _____ amica	la _____ amica
plurale	i _____ amici	i _____ amici	i suoi amici	i _____ amici
	le _____ amiche	le _____ amiche	le _____ amiche	le sue amiche

Che cosa c'è prima dell'aggettivo possessivo? _____

A che cosa devi fare attenzione per scegliere la desinenza (maschile / femminile / singolare / plurale) dell'aggettivo possessivo? _____

> E17

5c Con 2 compagni. E voi? Che cosa mettete in valigia? Pescate a turno una carta (Appendice p. 128): se pescate il n. 1 dovete usare l'aggettivo possessivo *mio, mia, miei, mie*, se pescate il n. 2 *tuo, tua, tuoi, tue*, se pescate il n. 3 *suo, sua, suoi, sue*.

es. Porto con me   **il mio** libro preferito.

il tuo maglione.

il suo cappello.

1 macchina fotografica	6 orologio	11 telefonino
2 ombrello	7 passaporto	12 penne
3 foto (femm.)	8 agenda	13 lettore mp3
4 portafoglio	9 vocabolario	14 biglietti da visita
5 occhiali da sole	10 borse	15 diario

Articoli determinativi e indeterminativi

6a In coppia. Immaginate: che cosa mettono in valigia queste persone quando viaggiano?

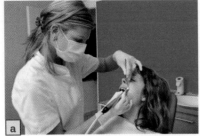

6b Di chi è la valigia? Leggete e associate alle fotografie.

Valigia 1: ☐ Quando viaggio porto sempre con me <u>una guida</u> turistica e un libro da leggere prima di dormire. Per questo porto sempre anche <u>gli occhiali</u> da lettura. Quando sono in vacanza non ho mai un orologio con me. Nella mia valigia ci sono sempre le scarpe da ginnastica, le magliette sportive e una palla ovale, così posso sempre giocare con gli amici (se troviamo uno spazio grande!).

Valigia 2: ☐ Per prima cosa metto sempre in valigia la fotocopia del passaporto: è molto utile se per caso perdi lo zaino. Non dimentico mai di portare uno specchio e la spazzola per i capelli. Naturalmente porto sempre anche lo spazzolino da denti. Ma le cose più importanti per me sono il lettore mp3 per ascoltare la musica e il cellulare per mandare le fotografie alle mie amiche.

Valigia 3: ☐ Porto sempre con me un maglione pesante e una giacca a vento perché non voglio avere freddo quando viaggio. Mi piace molto l'arte e fare sport in vacanza. Per questo porto sempre con me la macchina fotografica e spesso anche una racchetta da tennis. Non lascio mai a casa il telefonino. Quando sono in vacanza mi sostituisce un'amica. Anche lei è una brava dentista. Nella mia borsa ci sono sempre anche l'antibiotico e il disinfettante.

6c Rileggi e sottolinea i nomi con l'articolo (come negli esempi), poi completa le tabelle e le regole.

Articoli determinativi

il	lo	l'	la	i	gli	le
					occhiali	

- L'articolo *lo* si usa davanti ai nomi _____ e singolari che iniziano con ____, ____, *st, sc*..., cioè con *s* + consonante.
- L'articolo *l'* si usa davanti ai nomi maschili e _____, che iniziano con una _____.
- L'articolo *gli* si usa davanti ai nomi plurali che iniziano con una _____ o con *z, sp, st, sc*...

- B, C, D, F, G, L, M, N, P, Q, R, S, T, V, Z sono consonanti
- A, E, I, O, U sono vocali

Articoli indeterminativi

un	uno	una	un'
		guida	

- L'articolo *uno* si usa davanti ai nomi _____ che iniziano con ____, ____, *sc, z*..., cioè con *s* + _____.
- L'articolo *un'* si usa davanti ai nomi _____ che iniziano con una _____.

E18

Pronuncia

Intonazione esclamativa

1a `mp3 T31` Ascolta. Osserva l'intonazione e prova a ripetere.

Lavoro ancora con mio padre.

Intonazione dichiarativa

Sei davvero fortunata!

Intonazione esclamativa

1b `mp3 T32` Ascolta le frasi e indica per ogni frase l'intonazione giusta.

	1	2	3	4	5	6	7	8
intonazione dichiarativa	X							
intonazione esclamativa		X						

1c `mp3 T33` Ascolta e completa. Poi riascolta e ripeti la frase esclamativa.

1 ■ Questo weekend vado a Bologna.
  ■ _____

2 ■ Tutte le mattine mi alzo alle 10.00.
  ■ _____

3 ■ Carla vince sempre al lotto.
  ■ _____

4 ■ Mio papà lavora 18 ore al giorno.
  ■ _____

5 ■ Matteo deve restare a letto. Ha la febbre.
  ■ _____

6 ■ Oggi vado dal dentista.
  ■ _____

Suoni [k] (*casa*) e [tʃ] (*cibo*)

2a `mp3 T34` **Ascolto 1.** Ascolta e ripeti.

2b `mp3 T34` **Ascolto 2.** Cerchia le parole con il suono [k] come in *casa* e sottolinea le parole con il suono [tʃ] come in *cibo*. Riascolta e verifica.

(Carlo), Ciro, Chiara, Lucio, Michele, Corrado, Luca, Nicola, Caterina, Federico, Marcella, Alice, cuoco, occhiali, <u>ufficio</u>, cena, ciao, fotocopia, amici, amiche, centro commerciale, bacio, zucchero.

2c Completa la regola.

```
        ┌→ si pronuncia [k] prima delle vocali _____, _____, _____ e prima di _____, _____.
<c>     └→ si pronuncia [tʃ] prima delle vocali _____, _____.

❗ chi, che  [k]
   ci, ce    [tʃ]
```

2d `mp3 T35` Ascolta e segna la pronuncia corretta.

	1	2		1	2		1	2
1 Cecilia	X		5 cinema			9 calcio		
2 forchetta			6 parcheggio			10 centro		
3 Chiesa			7 amiche			11 racchetta		
4 bicicletta			8 cinque			12 occhiali		

E19, 20, 21, 22, 23, 24, 25

1 Che cosa facciamo stasera?

In gruppi di 2/3 compagni. Costruite dei mini-dialoghi tra la protagonista e i suoi amici.

2 Chi fa che cosa?

In coppia raccontate chi fa che cosa nella vostra famiglia.

es. *Nella mia famiglia cucina sempre il papà. Io non stiro mai.*

- lavare i piatti
- stirare
- fare la spesa
- pulire
- cucinare
- portare i figli a scuola
- portare fuori il cane

3 Mimo

A coppie. Un compagno mima le azioni quotidiane della sua giornata, l'altro deve dire che cosa fa.

es. *Tu ti alzi, tu ti lavi…*

4 Indovina chi?

A squadre. Una persona della squadra deve pensare a un personaggio famoso (reale o fantastico) e raccontare una sua giornata tipo.
I compagni devono indovinare il nome del personaggio.

es. *Mi alzo a mezzogiorno perché la sera faccio tardi ai concerti.*
Il pomeriggio faccio le prove con la mia band…

5 Un messaggio di posta elettronica

Abiti da 3 mesi in una nuova città. Oggi ricevi questa e-mail da Fabio. Rispondi al suo messaggio.

Caro/a …
Come va? È da tanto tempo che non ho più tue notizie. Come si sta a …? E il lavoro come va? Hai degli amici? Che cosa fai nel tempo libero?
Io sto bene. Il lavoro in aeroporto mi piace molto perché ogni giorno conosco gente nuova e ho la possibilità di parlare lingue diverse. Frequento anche un corso di chitarra e la domenica, in questa stagione, vado sempre a sciare. Mi manchi molto.
Aspetto tue notizie, voglio sapere tutto della tua "nuova vita".
Ciao, a presto
Fabio

Frasi utili per...

1 **Metti le frasi al posto giusto nella tabella.**

- (Senti), che cosa fai (di bello) questa sera/domani?
- Vuoi venire con me in discoteca?
- Va bene / D'accordo / Ok. Si può fare.
- (Molto) volentieri.
- Che cosa fai la sera / il venerdì pomeriggio?
- Per me può andare bene.
- Mi dispiace ma... (ho già un altro impegno / non ho voglia di...)
- Facciamo qualcosa insieme oggi pomeriggio?
- Perché non andiamo a teatro?

parlare di azioni quotidiane	*Di solito esco con gli amici...*
informarsi sui programmi di qualcuno	
fare una proposta	
accettare un invito	
rifiutare cortesemente	

I miei appunti

DOSSIER CULTURA

Il tempo libero

Come trascorrono gli italiani il tempo libero? E oggi, tra lavoro, famiglia e impegni vari, quanto tempo libero rimane davvero? E tu, quanto tempo libero hai? Che cosa fai?

1a **mp3 T36** Ascolta il sondaggio sul tempo libero degli italiani e associa a ogni intervista una o più immagini.

dialogo 1 _____   dialogo 4 _____
dialogo 2 _____   dialogo 5 _____
dialogo 3 _____

1b Secondo te, qual è la percentuale giusta di italiani che... Controlla con l'insegnante.

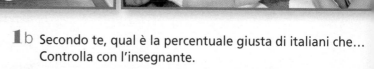

Attività	Percentuale	
a Pratica sport regolarmente	22%	50%
b Non fa mai sport	46%	15%
c Ha letto almeno un libro nell'ultimo anno	80%	46%
d Legge un quotidiano almeno una volta alla settimana	20%	54%
e Guarda la Tv per più di 3 ore al giorno	70%	25%
f Assiste regolarmente a spettacoli sportivi		
Uomini	39%	10%
Donne	40%	14%

Sport

2a Quali sono secondo te gli sport più praticati in Italia? Fai una classifica. Poi confrontala con i dati in fondo alla pagina.

 tennis   palestra   pallacanestro

 pallavolo   calcio   atletica   ciclismo   sci   ginnastica   nuoto

2b Leggi e associa a ciascuna immagine lo sport corretto.

a ....

d ....

b ....

c ....

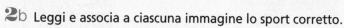

" Secondo un'indagine gli italiani sono un popolo di appassionati sportivi: infatti, circa l'80,4% delle persone in Italia si interessa di sport.

La Nazionale è la grande passione degli italiani: 32 milioni di italiani seguono regolarmente le partite della Nazionale alla televisione o allo stadio.

Il Campionato di calcio di Serie A è al secondo posto nel cuore degli italiani (29 milioni) e la Formula 1 al terzo (28 milioni). Circa 20 milioni di italiani si appassionano invece regolarmente per il Campionato mondiale di motociclismo.

Le altre manifestazioni sportive seguono a distanza: il Giro d'Italia di ciclismo al quinto posto, la Coppa del Mondo di sci al sesto e gli Internazionali d'Italia di tennis al settimo. "

Adattato da: www.tnsabacus.it

1 Calcio, **2** palestra, **3** nuoto, **4** ginnastica, **5** sci, **6** ciclismo, **7** atletica, **8** tennis, **9** pallavolo, **10** pallacanestro.

Fonte: http://www.blogviaggigregalo.it/i-1-10-sport-piu-praticati-in-italia/

Lessico

1 Scrivi le azioni della giornata di Erica: metti i verbi al presente.

Mi chiamo Erica, sono una studentessa e vi racconto la mia giornata: io ....

1 _____   2 _____   3 _____

4 _____   5 _____   6 _____

| punteggio | _____ / 6 |

2 Metti in ordine gli avverbi di frequenza.

spesso / mai / qualche volta / sempre

●●●●●●●●●●●●   ●●●●●●●●   ●●●●●

1 _____   2 _____   3 _____   4 _____

| punteggio | _____ / 4 |

3 Completa con i giorni della settimana e le parti del giorno.
Quando Mario fa queste cose?

	Lunedì	Mercoledì	Venerdì	Domenica
07.00-13.00	Ore 10 dentista			
14.00-17.00		Ore 15 corso di spagnolo		
18.00-20.00			Ore 20 ristorante con Laura	
21.00-24.00			Ore 24.00 treno per Parigi	

es. Va dal dentista: *Lunedì mattina*

1 Va al corso di spagnolo: _____   _____

2 Va al ristorante con Laura: _____   _____

3 Prende il treno per Parigi: _____   _____

| punteggio | _____ / 6 |

| Lessico: punteggio totale | _____ / 16 |

Funzioni

4 Completa il dialogo con una o più parole.

- ■ Pronto?
- ■ Ciao Anna sono Philip. (1) _____?
- ■ Bene, grazie e tu?
- ■ Benissimo! Senti, (2) _____ stasera?
- ■ Mah, niente di speciale, non ho programmi. Perché?
- ■ (3) _____ con me al cinema?
- ■ Ok, (4) _____. Che film c'è?
- ■ Vorrei andare a vedere un bel film d'azione, magari l'ultimo di James Bond.

- ■ (5) _____ non ho voglia di vedere un film d'azione.
- ■ (6) _____ andiamo a vedere un bel film romantico?
- ■ Per me (7) _____. Allora andiamo con la mia macchina. Passo da te alle 8.
- ■ Ok. (8) _____ .

punteggio	_____ / 16

Funzioni: punteggio totale	_____ / 16

Grammatica

5 Completa con i verbi al presente.

La giornata di un "mammo"

Mi chiamo Marco e sono un "mammo" perché non (1) _____ (*lavorare*) ma resto a casa con i miei bambini mentre mia moglie (2) _____ (*andare*) in ufficio. La mattina mi alzo alle sette, (3) _____ (*io, vestirsi*) poi (4) _____ (*svegliare*) i bambini. (5) _____ (*noi, fare*) colazione insieme a mia moglie e poi, mentre i bambini (6) _____ (*giocare*), io (7) _____ (*pulire*) un po' la casa. Il pomeriggio di solito i bambini (8) _____ (*dormire*) un po' e io (9) _____ (*potere*) leggere un libro in pace. Alle 18 mia moglie ritorna a casa e finalmente la mia giornata da "mammo" è finita!

punteggio	_____ / 9

6 Completa con gli aggettivi possessivi.

Diario di una mamma

Tutti i giorni la stessa storia nella mia famiglia: "Mamma, dove sono le (1) _____ scarpe?", "Mamma, posso usare la (2) _____ macchina?", "Mamma, il nonno cerca i (3) _____ occhiali, dove sono?", "mamma, il papà non trova il (4) _____ telefonino, sai dov'è?". Mi rilasso solo quando sono in ufficio!

punteggio	_____ / 4

7 Sottolinea l'articolo corretto.

Nella mia borsa c'è sempre (1) *una/un'/uno* sciarpa di seta, (2) *una/un'/un* ombrello pieghevole, (3) *i/gli/le* chiavi di casa, (4) *i/il/lo* cellulare e (5) *le/i/gli* occhiali da sole.

punteggio	_____ / 5

Grammatica: punteggio totale	_____ / 18

PUNTEGGIO TOTALE DEL TEST	_____ / 50

Unità 04 Tu che cosa prendi?

In questa unità impari a interagire al ristorante, al bar e nei negozi,
il nome di alcuni piatti, cibi e bevande e a conoscere gli euro.

1 Che tipi di locale sono? Abbina le foto ai nomi dei locali.

a ☐ il ristorante
b ☑ l'agriturismo
c ☐ la trattoria
d ☐ la pizzeria
e ☐ il self-service
f ☐ il bar

2 Conosci alcuni piatti tipici italiani?

_____   _____

_____   _____

3 Dove fai la spesa di solito? Quando fai la spesa?

4 Riordina i nomi dei negozi e abbinali alle immagini.

1 ☐ celleriama
macelleria

2 ☐ mercatosuper
_____

3 ☐ lumesaria
_____

4 ☐ scheperia
_____

5 ☐ frattu e raduver
_____

6 ☐ riapasticce
_____

7 ☐ netteparia
_____

Per capire

1 a **Prima di ascoltare.** In quali occasioni vai a mangiare fuori?

1 b [mp3] [T37] **Ascolto 1.** La famiglia Rossini è al "Laghetto blu". Scegli la risposta giusta.

1 La famiglia Rossini
  a va in questo locale per la prima volta.
  b va in questo locale tutti gli anni.
  c va in questo locale ogni sabato.

2 La famiglia Rossini è in questo locale
  a per festeggiare un anniversario di matrimonio.
  b per festeggiare il Natale.
  c per festeggiare un compleanno.

3 La famiglia Rossini è composta da
  a i genitori, la figlia e il fidanzato.
  b i genitori e due figli.
  c i genitori e un figlio.

1 c [mp3] [T37] **Ascolto 2.** Indica (✓) i piatti che il cameriere porta alla famiglia Rossini.

*Laghetto***blu**

Antipasti
☐ Affettato misto   € 8,00
☐ Bruschette al pomodoro   € 4,50
☐ Torte salate   € 6,00
☐ Insalata di mare   € 10,00

Primi
☐ Risotto ai funghi   € 8,00
☐ Zuppa di fagioli   € 8,00
☐ Ravioli alla fiorentina   € 8,00
☐ Lasagne alla bolognese   € 8,00
☐ Spaghetti allo scoglio   € 10,00

Secondi
☐ Pesce spada al limone   € 12,00
☐ Arrosto di maiale   € 10,00
☐ Pollo agli aromi   € 10,00
☐ Bistecca alla griglia   € 10,00
☐ Grigliata mista di carne   € 14,00

Contorni
☐ Patate arrosto/fritte   € 4,00
☐ Verdure alla griglia   € 4,00
☐ Insalata mista   € 4,00

Dolci
Torta alle pere   € 6,00
Crostata al cioccolato   € 6,00
Macedonia di frutta fresca   € 5,00
Gelato con le fragole   € 6,00

Coperto   € 2,00

1 d [mp3] [T37] **Ascolto 3.** Guarda il menu dell'esercizio 1c e collega i piatti con la persona giusta.

                        ▶ E1, 2, 3 ▶

Confronto **tra C**ulture

Sai che cos'è il coperto? E la mancia?
Nel tuo Paese paghi il coperto?
Dai la mancia?

Ordinare

1a [mp3 T38] **Ascolto 4.** Riascolta queste parti del dialogo e completa.

io prendo / prenderei / ci può portare / per me / vorrei

Cameriere:	Come primi, avete deciso? Che cosa posso portarvi?
Signor Rossini:	(1) _____ del risotto ai funghi e come secondo del pollo agli aromi con un'insalata.
Signora Rossini:	(2) _____ invece dei ravioli alla fiorentina.
Cameriere:	Bene. E come secondo cosa vuole?
Signora Rossini:	(3) _____ la bistecca alla griglia.
Cameriere:	Va bene. D'accordo. Come contorno desidera dell'insalata, o delle patate arrosto o magari delle patatine fritte?
Signora Rossini:	No, va bene l'insalata, grazie.
Irene:	Io come primo (4) _____ degli spaghetti allo scoglio, ma niente secondo, eh, grazie.
Signora Rossini:	Scusi, (5) _____ del pane, per favore?
Cameriere:	Lo porto subito.

1b In tre. Guardate il menu dell'esercizio 1c (p. 78) e ordinate.

- Buonasera Signori, che cosa vi porto?
- Io prendo il risotto ai funghi.
- Per me il pollo agli aromi con le patate arrosto, grazie.
- Va bene! Volete il dolce?
- Sì, io prendo la crostata al cioccolato.
- Io invece vorrei una macedonia di frutta.

▶ E10, 11

Confronto tra Culture

I pasti

- Quali sono i pasti principali in Italia? A che ora sono? E nel tuo Paese?
- Com'è un pasto tipico italiano? E nel tuo Paese?

Cibi e sapori

2a Completa con l'aggettivo giusto. Se necessario, accorda gli aggettivi.

1 ■ Ciao Andrea, mi fai un caffè, per favore?
  ■ Sì, certo. Lo vuoi _____ o _____?
  ■ _____, grazie. Il caffè americano non mi piace.

2 ■ Marco, ecco la tua cioccolata. Quanti cucchiaini di zucchero vuoi?
  ■ No, no, niente zucchero, grazie. La cioccolata mi piace _____.

3 ■ Questa sera ho fame e ho voglia di una pizza piccante e tu?
  ■ No, grazie, altrimenti poi bevo troppo! Io prendo una pizza capricciosa, che è _____ ma non piccante.

4 ■ Michela, che cosa bevi, acqua _____ o _____?
  ■ Meglio _____, le bollicine non mi piacciono.

5 ■ Come contorno preferisce verdure _____ o _____?
  ■ Mah, forse è meglio verdure _____, prendo delle patate al forno per favore.

6 ■ Mi può fare un tè, per favore?
  ■ _____ o freddo, signorina?
  ■ _____, con del ghiaccio, per favore, fa caldo e ho sete!

7 ■ Per stasera preparo una torta.
  ■ Che buona! Per favore, fai la crostata che mi piace tanto.
  ■ Ma no! La crostata è _____, io invece faccio una torta _____, con le verdure!

▶ E4, 5, 6

saporito
amaro
naturale
frizzante
crudo
cotto
freddo
caldo
espresso
dolce
salato
lungo

Bevande

3a `mp3` `T39` **Ascolto 1.** Irene e Matteo fanno un giro in centro e incontrano un'amica. Ascolta e cerchia le bevande che prendono.

3b Ecco altre cose che si possono prendere al bar. Completa.

birra / tè caldo / succo di frutta / caffè lungo / spremuta / bicchiere di latte / aperitivo analcolico / cioccolata

PER ME _____

VORREI _____

IO HO VOGLIA DI _____

PER ME _____

VORREI _____

MI PUÒ PORTARE _____?

MI PORTEREBBE _____?

IO PRENDO *una birra*

E7

Gli euro

4a `mp3` `T40` **Ascolto 2.** Riascolta l'ultima parte del dialogo al bar e rispondi.

1 Quant'è il conto? _____ €
2 Con che cosa paga Matteo? _____ €
3 Quali e quante monete usa il cameriere per dare il resto? _____

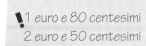
! 1 euro e 80 centesimi
2 euro e 50 centesimi

Bar Il Castello
BEVANDE CALDE

caffè espresso	€ 1,20
caffè lungo	€ 1,30
caffè freddo	€ 2,20
caffè decaffeinato	€ 1,50
latte	€ 2,00
cappuccino	€ 2,00
camomilla	€ 2,00
tè caldo	€ 2,00
tè freddo	€ 2,00
cioccolata	€ 3,00

BIBITE

Coca Cola	€ 4,00
limonata	€ 4,00
aranciata	€ 4,00
acqua tonica	€ 4,00
BIRRE	
birra piccola	€ 5,00
birra media	€ 7,00

SUCCHI DI FRUTTA

mela	€ 4,00
pera	€ 4,00
banana	€ 4,00
fragola	€ 4,00
spremuta d'arancia	€ 5,00

4b Usa il listino del Bar "Il Castello". Quanto pagano le persone?

1
BAR Il Castello
c.so Lione 64 Torino
tel. 011 3466729

p. iva 05675370010 scont. 254
* * * * * * *
succhi di frutta   x2 _____ €
caffè espresso   x1 _____ €

TOTALE   _____ €

2
BAR Il Castello
c.so Lione 64 Torino
tel. 011 3466729

p. iva 05675370010 scont. 257
* * * * * * *
birra piccola   x1 _____ €
cappuccino   x1 _____ €

TOTALE   _____ €

3
BAR Il Castello
c.so Lione 64 Torino
tel. 011 3466729

p. iva 05675370010 scont. 261
* * * * * * *
tè caldo   x2 _____ €
caffè freddo   x1 _____ €
acqua tonica   x1 _____ €

TOTALE   _____ €

Negozi

5a mp3 T41 **Ascolto 1.** In quali negozi fanno la spesa le persone? Che cosa comprano?

Dialogo 1: _panetteria_

Dialogo 2: _____

Dialogo 3: _____

Dialogo 4: _____

1

2

3

4

5

6

7

8

spaghetti

9

10

11

5b Associa domanda e risposta.

1 ☐ Buongiorno signora, che cosa desidera?
2 ☐ Quanto ne vuole?
3 ☐ Le serve altro?
4 ☐ Avete il pesce fresco?
5 ☐ Mi può dare un sacchetto?
6 ☐ Quant'è?

a Certo, ecco a Lei.
b No, grazie. Basta così.
c No, mi dispiace, oggi non l'abbiamo.
d Ne vorrei un chilo.
e Sono 10 euro.
f Volevo due etti di prosciutto.

5c Aiuta Paola a compilare la lista della spesa.

le lasagne / la torta / il pollo /
il pesce spada / le zucchine / il riso /
i ravioli / le patate / i pomodori /
le fragole / il gelato / le mele /
le banane / le carote / le pere /
l'insalata / le bistecche / il tonno /
i maccheroni / le arance / i pasticcini

E8

> **PER IL PRANZO DELLA DOMENICA DEVO COMPRARE...**

per i primi
le lasagne

per i secondi

per il dolce

frutta

verdura

5d In coppia. Stasera hai amici a cena. Sono le 17.30 e devi ancora fare la spesa. Entra nel negozio e compra le cose che ti servono. A turno interpreta il cliente o il commesso. Usa le domande e le risposte dell'esercizio 5b.

Studente A

Studente B

E9

L'imperativo

1a **Leggi e associa il titolo alla ricetta.**

- **a** Linguine al pesto
- **b** Penne all'arrabbiata
- **c** Pasta al ragù

1b **Scrivi i verbi sottolineati nelle ricette sotto l'immagine giusta.**

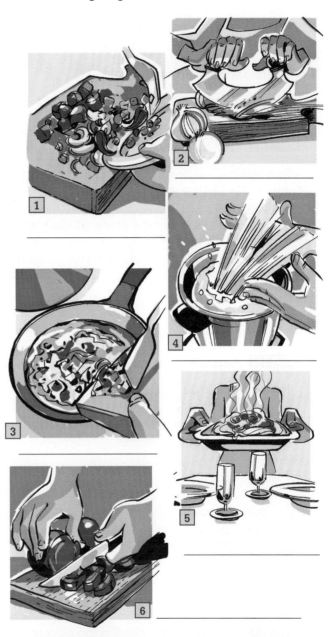

1 _____

Ingredienti per 4 persone:

- – 350 grammi di pasta
- – polpa di pomodoro
- – 1 cipolla
- – 3 cucchiai di olio d'oliva
- – 250 grammi di carne macinata

Tritate la cipolla e mettete insieme all'olio, alla carne e poi al sugo di pomodoro. Cuocetela per circa un'ora. Intanto buttate la pasta nell'acqua bollente e cuocete per circa 10 minuti. Quando la pasta è pronta, togliete dal fuoco e aggiungete il sugo. Servite con formaggio parmigiano.

2 _____

Ingredienti per 4 persone:

- – 350 grammi di pasta
- – 5 cucchiai di polpa di pomodoro
- – 500 grammi di pancetta
- – 2 spicchi d'aglio
- – 1 cipolla
- – 80 grammi di formaggio parmigiano
- – 1 pezzetto di peperoncino
- – 3 cucchiai di olio d'oliva

Tagliate la polpa dei pomodori. Aggiungete l'aglio, la cipolla, il peperoncino e la pancetta, mettete tutto in una padella con l'olio d'oliva, salate e fate bollire per circa 10 minuti. Mescolate di tanto in tanto con un cucchiaio di legno.
Intanto cuocete la pasta in una pentola con acqua e sale. Quando la pasta è pronta versate sopra la salsa e mescolate. Servite con formaggio parmigiano.

3 _____

Ingredienti per 4 persone:

- – 350 grammi di pasta
- – 4 mazzetti di basilico
- – 2 spicchi d'aglio
- – 50 grammi di formaggio pecorino
- – 50 grammi di formaggio parmigiano
- – 1 cucchiaio di pinoli
- – sale grosso
- – 3 cucchiai di olio d'oliva

Lavate e asciugate il basilico, sbucciate l'aglio e mettete il tutto insieme ai pinoli in un mortaio. Pestate il composto, aggiungete l'olio e un po' di sale grosso. Unite il parmigiano e il pecorino e pestate ancora.
Intanto cuocete la pasta in abbondante acqua salata per circa 10 minuti. Quando la pasta è pronta, versate sopra la salsa e mescolate.

1c Completa la tabella con i verbi delle ricette. Quali sono le desinenze dell'imperativo (voi)?

imperativo		
mescol-**are**	mett-**ere**	serv-**ire**
mescol-**ate**		

❗ Con l'imperativo non si usa mai il pronome personale.

es. *Voi pulite i pomodori e noi tagliamo le cipolle.* (indicativo presente)
Pulite i pomodori! (imperativo)

1d Quando si usa l'imperativo?

a Per raccontare.   b Per dare istruzioni.   c Per descrivere.

1e Le ricette possono anche essere scritte all'infinito. Trasforma questa ricetta della frittata con le zucchine con i verbi all'imperativo (voi).

Tritare (1) _____ la cipolla, lavare (2) _____ e tagliare (3) _____ le zucchine. Mettere (4) _____ la cipolla in una padella con 30 grammi di olio d'oliva, poi aggiungere (5) _____ le zucchine, salare (6) _____ e cuocere (7) _____ per 8 minuti. Sbattere (8) _____ le uova con il formaggio pecorino e un po' di sale. Unire (9) _____ le zucchine e mescolare (10) _____ bene. Versare (11) _____ il tutto in una padella e cuocere (12) _____ la frittata per 3 minuti per parte. Infine mettere (13) _____ la frittata su un piatto e servire (14) _____.

▶ E14

Il verbo *piacere*

2a **mp3 T42** Ascolta e completa con il nome o il verbo. Poi scrivi la regola.

1 ■ Giuseppe, ti piace _____ al supermercato?
  ■ No, preferisco comprare quello che mi serve nel negozio sotto casa.

2 ■ Paolo, ti piace _____?
  ■ Sì, molto. Mi piace cenare al ristorante con i miei amici.

3 ■ Giulia, preferisci la pasta o il riso?
  ■ Mhm, mi piace di più _____.

4 ■ Silvia, ti piacciono _____ alla carbonara?
  ■ Sì, mi piacciono, ma preferisco gli spaghetti allo scoglio.

5 ■ Patrizia, ti piacciono _____ alcoliche?
  ■ No, per niente. Non bevo alcol.

mi, ti/Le piace	+ nome _____.
	+ verbo _____.
mi, ti/Le piacciono	+ nome _____.

2b Completa questi dialoghi con il verbo *piacere*.

Marcello: Ho proprio voglia di qualcosa di dolce.
Marta: (1) _____ (2) _____ le torte al cioccolato?
Marcello: Sì, buone, ma (3) _____ (4) _____ di più le crostate.
Marta: Allora prendi una crostata alla frutta.

Cameriere: Buonasera, che cosa Le porto?
Lucio: Una pizza leggera. Che cosa mi consiglia?
Cameriere: Se (5) _____ (6) _____

le verdure può prendere l'ortolana, se invece (7) _____ (8) _____ il pesce può prendere la pizza mare.
Marcella: Tu che cosa prendi? Io un bel gelato alla frutta.
Lucia: Non lo so. (9) _____ (10) _____ molto il gelato, ma ho sete.
Marcella: (11) _____ (12) _____ il tè freddo?
Lucia: Sì, buona idea! Prendo un tè freddo.

▶ E15

2c In coppia. A turno. Pescate una carta (Appendice p. 129). Intervistate un compagno o rispondete.

Studente A: Ti piace **andare al cinema** / **il caffè amaro**?
Studente B: Sì, mi piace **molto/abbastanza**. / **No**, non mi piace **per niente**.
Studente A: Ti piacciono i peperoni?
Studente B: Sì, mi piacciono **molto/abbastanza**. /
               No, non mi piacciono **per niente**.

2d I gusti non si discutono! Completa la tabella, poi confronta le tue risposte con un compagno.

	Mi piace 😊	Non mi piace 😞
Cibo		
Bevande		
Tempo libero		
Luoghi		
Sport		
Lingue straniere		
Musica		

Potere e volere

3a Abbina i significati di *potere* e *volere* alle frasi.

1 ☐ Scusi, posso aprire la finestra?
2 ☐ Mi può dire quanto costa, per favore?
3 ☐ Questa sera voglio uscire con gli amici.
4 ☐ Come dolce voglio un bel gelato.
5 ☐ Per andare a Milano puoi prendere il treno delle 17.

a esprimere un desiderio
b fare una richiesta cortese
c chiedere il permesso
d dare un consiglio

Che cosa c'è dopo *potere*?

potere + _____

E dopo *volere*?

volere + _____
     + _____

▶ E16

3b Completa la tabella.

	volere	potere
io		
tu		
lui/lei/Lei		
noi		
voi		
loro		

vuoi / puoi / voglio / posso /
volete / potete / vuole /
può / vogliamo / possiamo /
vogliono / possono

3c Completa con i verbi *potere* e *volere*. Scegli il locale più adatto a ogni persona.

Ristorante la Marianna
Specialità cucina piemontese

chiuso il lunedì

via Soldatini 3, Barge (TO)

Tel. (011) 6547979 〔1〕

Tropico Latino

risto-pub con cucina messicana

chiusura facoltativa

via Trilussa 16
Tel (0875) 539514,
86042 CAMPOMARINO (CB) 〔2〕

Dal 1848
Vineria Cozzi
via Colleoni 22
24100 Bergamo
Tel. 035 238836
www.vineriacozzi.it
chiuso il mercoledì 〔3〕

1 **Marta:** **(1)** _____ (*io, volere*) fare una festa per un'amica. Le piace mangiare etnico, quindi organizziamo una festa in un locale messicano o indiano dove poi **(2)** _____ (*noi, potere*) anche ballare, se **(3)** _____ (*noi, volere*). Conosci qualche posto?

 Martina: Se non **(4)** _____ (*voi, volere*) spendere troppo, **(5)** _____ (*voi, potere*) andare al _____ dove c'è anche musica.

2 **Marco:** Un mio amico domani sera **(6)** _____ (*lui, volere*) invitare per un aperitivo dei colleghi inglesi che **(7)** _____ (*loro, volere*) provare il vino italiano. **(8)** _____ (*tu, potere*) consigliarmi qualche posto?

 Michele: Se **(9)** _____ (*loro, volere*) bere del buon vino **(10)** _____ (*loro, potere*) andare alla _____. È un posto molto caratteristico nella parte vecchia della città.

3 **Riccardo:** Domani è San Valentino! Ti porto fuori a cena in un locale romantico. Dove **(11)** _____ (*tu, volere*) andare?

 Anna: Mah, non so, forse in un ristorante con cucina tradizionale, un posto fuori città dove **(12)** _____ (*noi, potere*) stare tranquilli.

 Riccardo: Conosco un bel posto in collina, _____, **(13)** _____ (*io, potere*) telefonare per prenotare, se **(14)** _____ (*tu, volere*).

〔E17〕

3d **Immagina di essere in queste situazioni.**

1 È il giorno del tuo compleanno. Esprimi 3 desideri.

2 Sei al ristorante, chiedi 3 cose: scegli tra

 una forchetta

 un coltello

 un cucchiaio

 un piatto

 un bicchiere

 un tovagliolo

3 Sei a scuola, chiedi 3 permessi.

▮ Partitivo (*di* + articolo)

4a Che cosa significano le parole sottolineate? Scegli l'immagine giusta.

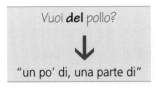

*Vuoi **del** pollo?*

↓

"un po' di, una parte di"

1 Prendi <u>delle lasagne</u>?
2 Stasera per cena ci sono le lasagne.
3 Vuoi <u>del pollo</u>?
4 Il pollo arrosto mi piace molto.

☐ ☐ ☐ ☐

4b Completa la tabella.

❗ del = di + il

di +	il	lo	l'	la	i	gli	le
Vorrei	<u>del</u> pollo	_____ spumante	_____ acqua	_____ pasta	_____ pomodori	_____ spaghetti	<u>delle</u> fragole

4c Che cosa c'è nel tuo frigorifero?

Nel frigorifero <u>c'è del formaggio</u>,
_____
_____
_____

Nel frigorifero <u>ci sono delle carote</u>,
_____
_____
_____

E18 ▸

4d In coppia. E nel tuo frigorifero che cosa non manca mai? Intervista un tuo compagno.

es. *Nel tuo frigo c'è del latte? Ci sono degli yogurt?*

Gruppo nominale: sintesi

5a Completa la tabella.

	MASCHILE			FEMMINILE		
SINGOLARE	_il_	gelato	freddo dolce	_____	bibita	fredd__ dolc__
	_____	spumante				
	___>___	aperitiv__		l'	aranciat__	
PLURALE	i	gelat__	fredd__ dolci		bibit__	fredde dolc__
	_____	spumanti		_____	aranciate	
		aperitivi				

5b Leggi e completa con gli articoli e le desinenze di nomi e aggettivi.

Le tendenze alimentari italiane

Quali sono le nuove mode alimentari in Italia? Sicuramente una cosa non cambia mai: gli italiani non vogliono rinunciare al buon cibo.

Snackizzazione

I pasti degli italiani sono diventati tanti: la colazione, il pranzo e la cena non sono più (1) _gli_
(2) unic____ (3) past____, ma gli italiani mangiano sei o sette volte al giorno. Che cosa mangiano in questi mini-pasti? Molti snacks come le merendine, le focacce, i gelati e
(4) altr ____ (5) cib____ (6) salat____.

Cibi pronti

Agli italiani oggi piacciono molto anche i cibi pronti e pre-cucinati. come (7) ____ pasta (8) ripien____,
(9) ____ (10) insalat____ (11) lavat____,
(12) ____ (13) piatt____ (14) surgelat____.

Sincretismo

Oggi gli italiani amano mescolare tradizioni di cucina di tutto il mondo. Nel menu troviamo spesso
(15) ____ cibo (16) cines____ con
(17) ____ (18) pizz____ (19) italian____,
oppure (20) ____ paella (21) spagnol____
con (22) ingredient____ (23) italian____.

adattato da "Album" di Repubblica

5c A squadre. Chi cerca trova! Avete 2 minuti di tempo per abbinare e accordare il numero maggiore di articoli, nomi e aggettivi (un aggettivo può essere usato più volte).

il lo l'
la
i gli
le

affettato
pizza
caffè
pasta
spumante
acqua
carote
spaghetti
pesci
zucchero
vino

bistecche
insalata
formaggi
riso
prosciutto
pane
yogurt
piadine
tè
frutta

amaro
frizzante
misto
saporito
crudo
dolce
secco
freddo
piccante
fritto
caldo
cotto
fresco
rosso
bianco

E19

E20, 21

Suoni [g] (*fragole*) e [ʤ] (*gelato*)

1a `mp3` `T43` La lista della spesa. Ascolta e sottolinea le parole con il suono [g] e cerchia le parole con il suono [ʤ].

Graziano: Domani abbiamo gente a cena e il frigorifero è vuoto! Devo andare a fare la spesa, che cosa compro, Gemma?

Gemma: Allora, come primo piatto vorrei fare gli spaghetti agli agrumi, dunque mi servono le arance e i limoni.

Graziano: Va bene, e di secondo che cosa mangiamo?

Gemma: L'arrosto con i funghi, comprami un chilo di carne di vitello magra.

Graziano: Va bene, ti serve altro?

Gemma: Sì, allora, una bottiglia di olio per friggere, un chilo di gelato, un'anguria e le fragole che piacciono tanto a Gianluca.

Graziano: Ok, devo comprare anche dei formaggi?

Gemma: Ah sì, certo! Compra un pezzo di parmigiano e del gorgonzola.

Graziano: Va bene, allora io vado, ci vediamo dopo!

Gemma: Grazie, a dopo!

1b Completa la regola.

> **si pronuncia [g] prima delle vocali** ____, ____, ____ **e prima di h**____, **h**____.
>
> **<g>**
>
> **si pronuncia [ʤ] prima delle vocali** ____, ____.

1c `mp3` `T44` Ascolta i nomi di alcuni cibi e scrivi una X sul suono corrispondente ([tʃ] e [k] come in *cioccolato*, [g] come *fragole* e [dʒ] come in *gelato*).

cioccolato (tʃ; k)

	1	2	3	4	5	6	7	8	9	10	11	12	13	14	15	16	17	18	19	20
[k]	X																			
[tʃ]	X																			
[g]																				
[ʤ]																				

E23, 24, 25, 26

1d Gara a squadre. Vince chi legge più parole corrette senza sbagliare.

cioccolato, bucatini, cavolfiore, vongole, gruviera, aceto, formaggio, cipolla, capricciosa, rigatoni, croccante, anguria, calzone, stracciatella, yogurt, asparagi, salsiccia, cotoletta, rucola, gamberetti.

E27

Produzione libera

1 Al Ristorante "Il Sole"

Lavorate con 2 compagni. Siete al ristorante. Consultate il menu in Appendice (p. 129) e recitate la vostra parte: uno è il collega italiano, uno è il collega straniero, uno è il cameriere.

▶ E12, 13 ▶

Studente A

Questa sera ceni con un collega straniero. Aiuta il tuo collega a capire che cosa c'è nei piatti. Tu sei vegetariano e non conosci i piatti di carne. Chiedi al cameriere gli ingredienti di alcuni piatti.

Studente B

Sei in Italia per lavoro da poco tempo. Un collega italiano ti ha invitato a cena. Sei curioso di conoscere la cucina italiana. Ti piace mangiare soprattutto la carne.

Studente C

Sei il cameriere del Ristorante "Il Sole" specializzato in pesce. Da' informazioni sui piatti.

2 A ognuno la sua spesa!

In gruppo. La classe si trasforma. Recita la tua parte, fai il commesso o il cliente (Appendice p. 130).

Nella tua salumeria ci sono tutti i salumi più buoni. Oggi c'è lo sconto sul prosciutto crudo.

3 Dimmi come mangi e ti dirò chi sei

In coppia. Parlate delle abitudini alimentari di casa vostra.

1 Qual è il tuo piatto preferito?
2 Qual è il tuo pranzo ideale?
3 Che cosa non deve mai mancare nel tuo frigorifero?
4 Qual è il piatto che si cucina di più nella tua famiglia?
5 Chi è più bravo a cucinare?

4 La mia specialità

Pensa a un piatto tipico del tuo Paese o a un piatto che sai cucinare. Scrivi la ricetta. Poi spiegala a un tuo compagno.

▶ E22 ▶

Lo Chef _____

il mio Paese _____
la mia specialità _____

ingredienti
_____
_____
_____
_____

ricetta
_____
_____
_____
_____
_____
_____
_____
_____
_____
_____

Frasi utili per...

1 Metti le frasi al posto giusto nella tabella.

Mi/Ci può portare/porta il conto/una forchetta, per favore/cortesia? **/** No, non mi piace per niente. **/** Quanto ne vuole? Ne voglio un chilo. **/** Per me un caffè/un'aranciata. **/** Prendo/prenderei la pasta/la torta. **/** Vorrei della carne/dell'insalata. **/** Che buono!/Come è buono!/Buonissimo! **/** Ti piace la carne? **/** Sì, mi piacciono molto. **/** Posso/È possibile pagare in contanti/con la carta di credito? **/** Ti piacciono gli spaghetti? **/** Avete il pane fresco? **/** Ho fame!/Ho sete! **/** Che cosa desidera? **/** Volevo/vorrei un etto di prosciutto/un litro di latte. **/** Posso/Possiamo ordinare, per favore? **/** Facciamo un brindisi agli sposi!/a Marco!/a noi!/Cin Cin!/Salute! **/** Buon appetito!/(Grazie!) Altrettanto! **/** Sì, mi piace molto. **/** No, non mi piacciono per niente.

Al ristorante	
chiedere di portare qualcosa	
chiedere di poter ordinare	
chiedere come pagare	
ordinare	
chiedere e dire se qualcosa piace	
fare un brindisi	
augurare	
esprimere approvazione	
dire che si ha fame/sete	
In un negozio	
chiedere a un cliente che cosa desidera	
dire che cosa si vuole	
chiedere se c'è qualcosa	
chiedere e dire la quantità	

I miei appunti

La tavola delle feste

Nei giorni di festa le famiglie italiane si riuniscono e la tavola diventa un luogo di incontro e di conversazione. I tempi dei pasti si allungano e si mangiano i piatti della tradizione. Ogni festa ha le sue specialità, eccone alcune.

DICEMBRE **24** Vigilia di Natale

DICEMBRE **31** Capodanno

NOVEMBRE **2** Festa dei morti

APRILE **15** Pasqua

FEBBRAIO **21** Carnevale

DICEMBRE **25** Natale

1 Associa i piatti delle feste alla giusta descrizione.

1 ☐ È un piatto a base di carne di maiale e legumi che si mangia a Capodanno perché si dice che porti fortuna.

2 ☐ Sono i tipici dolci natalizi della cucina napoletana. Le palline di pasta sono fritte nell'olio e decorate con frutta candita e zuccherini.

3 ☐ È un "pane" dolce in onore dei defunti. Si prepara con i resti dei biscotti. La ricetta tradizionale è di Milano, ma si mangia in tutta Italia.

4 ☐ Sono i dolci del carnevale, ma non tutti gli italiani le chiamano con lo stesso nome. I romani le chiamano frappe, i genovesi bugie, i milanesi e i pugliesi…

5 ☐ È il dolce che si mangia in tutta Italia nel giorno di Pasqua ed è simbolo della pace.

6 ☐ È un primo piatto in brodo della tradizione bolognese, si mangia a Natale e il primo giorno dell'anno.

7 ☐ È un piatto di pesce particolarmente diffuso in Veneto. Secondo la tradizione il pesce è tipico del cenone della vigilia di Natale.

a
Pane dei morti

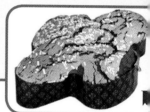
Colomba

c
Zampone e lenticchie

d
Struffoli

e
Tortellini in brodo

g
Baccalà al forno

f
Chiacchiere

Il pranzo della domenica?

Un rito per milioni di italiani

Per 8 milioni di famiglie il pranzo della domenica è un rito intramontabile: secondo uno studio dell'Accademia Italiana della Cucina, tutte le domeniche il 52% delle famiglie italiane si siede a tavola per gustare un menu che spesso è lo stesso di 50 anni fa: antipasto di salumi misti, pastasciutta, arrosto, patate e torta di mele. Almeno per un giorno trionfa la tradizione, dicendo no ai piatti pronti e a quelli surgelati. Solo il 5% degli italiani preferisce il ristorante, mentre l'imperativo è: tutti a casa, in famiglia.

Il pranzo della domenica è quindi una tradizione amata e diffusa in cui le famiglie si trovano per riaffermare il valore della famiglia, per incontrarsi e chiacchierare davanti a un buon piatto che resiste alle nuove tendenze alimentari. Ed è nel Meridione che il pranzo della domenica è più diffuso. Al Sud rappresenta un appuntamento costante: 6 italiani su 10 lo fanno ogni settimana, contro il 50% dei cittadini del Centro e il 45% di quelli del Nord.

Ma quali sono i piatti più consumati? Tra gli antipasti trionfano gli affettati (28%), a seguire crostini (15%) e antipasti di mare (5%). Tra i primi vincono la pastasciutta (17%) e i tortellini (16,5%), poi le lasagne (12%) e il risotto (11%). È il classico arrosto, invece, a dominare tra i secondi (24%). Tra i contorni sono più presenti le patate (30%), seguite dall'insalata (26%). Ma un pranzo della domenica che si rispetti si conclude con un dolce. Il preferito dagli italiani è la torta (15%) seguita dalla crostata (12%), dalla piccola pasticceria (8%) e dal gelato (7%).

(adattato da www.accademiaitalianacucina.it)

2 Vero o falso?

		V	F
1	La domenica la maggior parte degli italiani preferisce pranzare a casa.	☐	☐
2	Il menu del pranzo della domenica è cambiato molto negli ultimi anni.	☐	☐
3	La tradizione del pranzo in famiglia è più presente a Torino che a Palermo.	☐	☐
4	La pastasciutta è il primo piatto più amato dagli italiani.	☐	☐
5	Il dolce preferito dagli italiani è il gelato.	☐	☐

Il menu delle regioni

3 In coppia. Cercate sul web. Di quale città o regione sono tipici i piatti nel menu?

Il ristorante milanese

Da Claudia

vi invita a questo nuovo appuntamento:

ogni domenica, dalle 12.30 alle 14.00, sono proposti piatti tipici di diverse regioni d'Italia.

Antipasti
(1) Olive all'ascolana _____
(2) Farinata _____
(3) Panzanella _____
Primi
(4) Lasagne alla bolognese _____
(5) Canederli allo speck e funghi _____
(6) Orecchiette alle cime di rapa _____
Secondi
(7) Cotoletta alla milanese _____
(8) Triglie alla livornese _____
(9) Coniglio all'ischitana _____
(8) Triglie alla livornese _____
(9) Coniglio all'ischitana _____
Dolci
(10) Babà al rum _____
(11) Cassata siciliana _____
(12) Bonnet/budino _____

Lessico

1 Completa con i nomi dei cibi e delle bevande.

Crossword with down answer: APERITIVO

1	A		
2	P		
3	E		
4	R		
5	I		
6	T		
7	I		
8	V		
9	O		

punteggio _____ / 10

2 Associa ogni aggettivo al suo contrario.

1 ☐ caldo   a dolce
2 ☐ crudo   b cattivo
3 ☐ amaro   c freddo
4 ☐ frizzante   d cotto
5 ☐ buono   e espresso
6 ☐ lungo   f naturale

punteggio _____ / 6

Lessico: punteggio totale _____ / 16

Funzioni

3 Associa domanda e risposta.

1 ☐ Scusi, posso pagare con la carta di credito?
2 ☐ Mi può dare un sacchetto?
3 ☐ Stasera voglio mangiare le lasagne.
4 ☐ Se vuoi mangiare bene, puoi andare al ristorante "Da Claudia" a Milano.
5 ☐ Mi può portare una bottiglia d'acqua, per favore?
6 ☐ Posso andare al bagno?
7 ☐ Domani voglio dormire fino alle 10.
8 ☐ Per andare a casa, puoi prendere l'autobus n. 5.

a Certo, vai pure.
b Ok grazie. Provo a telefonare per prenotare un tavolo.
c Naturalmente, la porto subito.
d Ma certo. Visa o Mastercard?
e Grazie mille, sai dove vendono i biglietti?
f Ecco a Lei.
g Di verdure o di carne?
h Io invece vorrei fare una passeggiata in centro.

punteggio _____ / 8

4 **Riordina il dialogo.**

a ☐ Va bene... altro?

b ☐ No, grazie, basta così. Mi può dare un sacchetto?

c ☐ Sì, mi serviva anche un chilo di pane.

d ☐ Grazie e arrivederci.

e ☐ Volevo due etti di salame.

f ☐1☐ Buongiorno signora, che cosa desidera?

g ☐ Certo, ecco qui. In tutto sono 8 euro.

h ☐ Ecco a Lei il salame e il pane. Le serve altro?

punteggio	_____ / 7

Funzioni: punteggio totale	_____ / 15

Grammatica

5 **Completa con *mi/ti piace/piacciono*.**

■ Marta, che cosa ordiniamo? (1) _____ gli gnocchi?

■ No, non (2) _____. Preferisco ordinare il risotto ai funghi.

■ E di secondo che cosa prendiamo? (3) _____ il pesce spada?

■ Sì, (4) _____ molto! Io prendo il pesce spada con le verdure grigliate, e tu?

■ Le verdure grigliate non (5) _____, per contorno io prendo le patate al forno...
  Da bere prendiamo il vino bianco?

■ No, grazie, non (6) _____ bere alcolici, mi fanno venire il mal di testa.

punteggio	_____ / 6

6 **Completa con i verbi all'imperativo alla 2ª persona plurale.**

Per preparare un buon dolce (1) _____ (*pesare*) bene gli ingredienti. Se possibile,
(2) _____ (*usare*) prodotti biologici. Per ottenere dolci soffici, (3) _____
(*mescolare*) bene l'uovo con lo zucchero, con la frusta elettrica e (4) _____ (*aggiungere*) sempre
un pizzico di sale.

(5) _____ (*accendere*) il forno almeno 10 minuti prima di mettere il dolce.

Non (6) _____ (*aprire*) mai il forno, mentre il dolce cuoce.

(7) _____ (*servire*) il dolce quando è freddo.

punteggio	_____ / 7

7 **Completa con il partitivo.**

1 Paolo, se vai al supermercato, puoi comprare _____ vino e _____ verdura?

2 In questo ristorante ci sono _____ torte buonissime.

3 Se facciamo la festa, io porto _____ spumante e _____ cioccolatini.

4 Metti _____ olio d'oliva nell'insalata.

punteggio	_____ / 6

Grammatica: punteggio totale	_____ / 19

PUNTEGGIO TOTALE DEL TEST	_____ / 50

Unità 05
Scusa, dov'è la fermata dell'autobus?

In questa unità impari a chiedere e a dare informazioni per spostarsi in città, a descrivere la tua casa e a raccontare fatti passati

1 Come vieni a lezione?

a piedi / in tram /
in macchina / in bicicletta /
in autobus / in moto /
in metropolitana

VENGO...

2 Guarda i cartelli e scrivi che cosa puoi o non puoi fare.

girare a sinistra / parcheggiare /
andare diritto / sorpassare / girare a destra /
attraversare la strada

Posso girare a destra.
Non posso girare a sinistra.

3 Che cosa ti piace o non ti piace della città?

Per capire

1a **Prima di ascoltare.** Associa parole e immagini.

1 ☐ la piantina
2 ☐ il biglietto
3 ☐ la fermata dell'autobus
4 ☐ il viale
5 ☐ il semaforo

1b **mp3 T45** **Ascolto 1.** Jenny è una studentessa inglese che vive da poco a Milano e parla con la sua amica italiana, Cecilia. Rispondi vero o falso.

	V	F
1 Jenny oggi va al corso di italiano.	☐	☐
2 Jenny ha trovato un appartamento molto grande.	☐	☐
3 Nella cucina non c'è un tavolo.	☐	☐
4 Jenny deve prendere la linea verde della metropolitana di Milano.	☐	☐
5 A Jenny non piace prendere la metropolitana.	☐	☐
6 Cecilia dice a Jenny di prendere la bicicletta.	☐	☐
7 Jenny deve prendere l'autobus numero 19.	☐	☐
8 La fermata dell'autobus non è vicina a casa.	☐	☐
9 Jenny deve comprare il biglietto.	☐	☐

1c **mp3 T45** **Ascolto 2.** Indica la strada per andare alla fermata dell'autobus. Controlla con un compagno.

Tu sei qui

▌ Il biglietto

2a Quali informazioni pensi di trovare su un biglietto dell'autobus?

2b Leggi le informazioni scritte dietro un biglietto per i trasporti di Milano e rispondi.

Biglietto ordinario singolo   **TARIFFA € 1,50**
Carnet di 10 biglietti ordinari   **TARIFFA € 13,80**
Validità: vale per un periodo di 90 minuti dalla convalida. Può essere utilizzato sulla rete urbana di Milano, sui tratti in Milano di tutte le linee interurbane ATM, compresa la linea estiva per l'Idroscalo (ID), delle Ferrovie dello Stato e delle Ferrovie Nord e sul Passante ferroviario.
Modalità di utilizzo: va timbrato all'inizio del viaggio. Su metropolitana, FNME e Passante ferroviario consente di effettuare un solo viaggio ed occorre sempre convalidare. Sui servizi speciali per i Cimiteri e sulla linea estiva per Idroscalo (ID) vale per una sola corsa. Può essere utilizzato anche per il trasporto di un bagaglio a mano.
La vendita dei documenti di viaggio, abbonamenti o biglietti, avviene presso gli Uffici Abbonamenti ATM e/o le rivendite private (bar, tabacchi, edicole), con modalità che variano in relazione al documento considerato.

		V	F
1	Se compro 10 biglietti ho un piccolo sconto.	☐	☐
2	Il biglietto è valido solo se è timbrato.	☐	☐
3	Il biglietto è valido per un'ora da quando viene timbrato.	☐	☐
4	Il biglietto è valido per un solo viaggio in metropolitana.	☐	☐
5	Se ho una valigia, devo pagare un altro biglietto.	☐	☐
6	Posso comprare il biglietto solo negli uffici ATM.	☐	☐
7	Posso comprare il biglietto anche sull'autobus.	☐	☐

2c Associa le parole difficili del testo a quelle più comuni.

1	☐ urbana	a	timbrare
2	☐ consente	b	viaggio
3	☐ effettuare	c	cittadina
4	☐ occorre	d	fare
5	☐ convalidare	e	è necessario
6	☐ corsa	f	permette

Pista ciclabile

⚫onfronto **tra** ⚫ulture

Spostarsi in città

Percentuale di persone che normalmente usano la bicicletta per spostarsi in città:

Olanda 26%	Belgio 8%
Danimarca 19%	Svezia 7%
Germania 10%	Francia 5%
Austria 9%	Italia 4%

• Nel tuo Paese molte persone usano la bicicletta per andare a scuola o al lavoro?

• Perché secondo te gli italiani usano poco la bicicletta?
• Quali sono i mezzi pubblici più usati nella tua città?
• Dove si possono comprare i biglietti per i mezzi pubblici?
• In quali città italiane c'è la metropolitana?

▶ E1, 2, 3 ▶

Lessico

Informazioni stradali

1a `mp3 T46` **Ascolto 1.** Scrivi in quale dialogo hai sentito nominare questi edifici. Scrivi il nome degli edifici.

Dialogo n.		1				
Nome						

1b `mp3 T46` **Ascolto 2.** Completa le frasi.
Poi associa i disegni alle frasi.

di fronte / davanti / accanto /
vicino / in mezzo / in fondo

1 ☐ La fermata per l'ospedale è _____ all'edicola.
2 ☐ Il bar tabacchi è _____ alla farmacia.
3 ☐ Il bancomat _____ al museo non funziona.
4 ☐ C'è un'altra banca _____ alla chiesa.
5 ☐ La piazza del mercato è _____ alla strada.
6 ☐ L'ufficio informazioni è _____ alla piazza.

1c `mp3 T46` **Ascolto 3.** Completa la tabella con le espressioni per chiedere informazioni stradali.

	formale (*Lei*)	informale (*tu*)
1 stabilire un contatto / richiamare l'attenzione		
2 chiedere dove si trova un posto		
3 chiedere conferma del posto		

1d *Questo o quello?*

Che cosa indica *questo*?
E *quello*?

questo = _____ a chi parla
quello = _____ da chi parla

Qual è il gesto che accompagna
questo? E *quello*?

1e In coppia. Fate dei dialoghi come nell'esempio. Cambiate le parti in nero. Poi ripetete gli stessi dialoghi con il *tu*.

es.
■ Scusi, è questo l'**ufficio postale**?
■ No, questo è l'**ufficio informazioni**.
■ Ah, allora mi sa dire dov'è l'**ufficio postale**?
■ Sì, è quello **in fondo a questa strada, in piazza Mazzini**.

1 la fermata del 7 – la fermata del 19 – più avanti, vicino all'edicola
2 il Ristorante da Franco – il Ristorante da Mimmo – in fondo alla strada
3 la Banca Popolare – la Banca d'Italia – 50 metri più avanti
4 l'entrata dell'università – l'entrata della biblioteca – di fronte al Museo di arte moderna

1f In coppia. Lo studente B va in Appendice (p. 131).
Per completare la cartina chiedete a turno
al vostro compagno dove sono questi edifici.

es.
■ Scusa, sai dov'è
l'ufficio postale?
■ È in via Tosi, di fronte
alla fermata dell'autobus.

1 l'ufficio postale
2 la chiesa di S. Carlo
3 la farmacia
4 l'Hotel S. Marco
5 la fermata dell'autobus n. 5
6 il Bar Sport

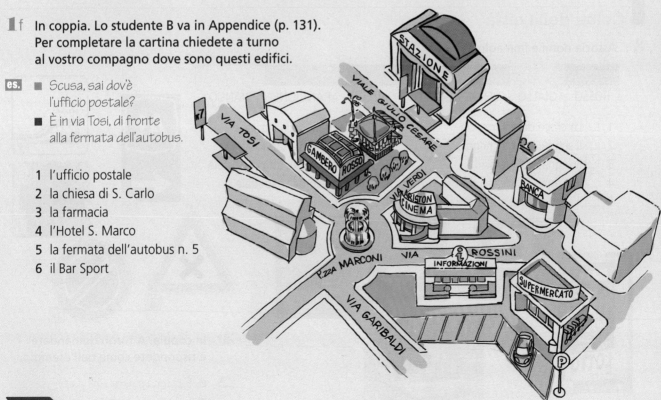

E4, 5, 6

Verbi di movimento

2a Associa il verbo al disegno.

3 _____

4 _____

attraversare /
salire /
scendere /
girare /
andare diritto

1 _____   2 _____

5 _____

2b Completa con i verbi dell'esercizio 2a.

- Scusi, mi sa dire la strada per andare alla stazione?
- Allora, deve (1) _____ sull'autobus n. 7 e (2) _____ in piazza Mascagni, alla terza fermata. Deve (3) _____ la piazza e (4) _____ fino al primo incrocio. Lì deve (5) _____ a destra e prendere viale Indipendenza. In fondo c'è la stazione.
- Ah, è un po' difficile. Provo a ripetere. Salgo

sull'autobus n. 7 e (6) _____ alla terza fermata. (7) _____ Piazza Mascagni, (8) _____ fino al primo incrocio poi (9) _____ a sinistra...
- No. Attenzione. A destra, non a sinistra!
- Ah, sì. (10) _____ a destra, poi prendo viale Indipendenza e in fondo a questo viale c'è la stazione.
- Esatto.
- Grazie mille!
- Prego.

Colori della città

3a Associa nomi e immagini.

ROSSO   GIALLO   VERDE   NERO   BLU   ARANCIONE   BIANCO

1 ☐ La croce della farmacia
2 ☐ Il segnale di parcheggio
3 ☐ Il segnale di incrocio
4 ☐ Il segnale di divieto di sosta
5 ☐ Il segnale dell'autostrada

6 ☐ Il segnale della stazione
7 ☐ L'insegna del tabaccaio
8 ☐ L'insegna dell'ufficio postale
9 ☐ Il segnale dell'ospedale
10 ☐ L'autobus

3b In coppia. A turno domandate e rispondete come nell'esempio.

es.
- È bianca e nera. Che cos'è?
- È l'insegna del tabaccaio!

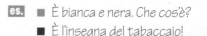

▍ Quanto ci vuole?

4a **mp3 T47** **Ascolto.** Scrivi quali sono le espressioni usate nel dialogo per chiedere:

1 quanto è distante un luogo	2 quanto tempo è necessario per andare a...

Quali sono le espressioni usate per rispondere?

_____

_____

_____

> **!** • Ci **vuole un'ora**.
> • Ci **vogliono 10 minuti**.

4b In coppia. Chiedi al tuo compagno quanto sono lontani questi luoghi dalla scuola.

es. ■ È lontana da qui **casa tua**?
   ■ No, **ci vogliono 5 minuti**.
   ■ Sì, **ci vuole un'ora**.

1 la banca
2 l'ufficio postale
3 la biblioteca
4 la piscina

5 il cinema
6 la fermata dell'autobus
7 il parcheggio

> E8, 9

▍ L'appartamento

5a **Prima di ascoltare.** Associa i nomi con le stanze nel disegno.
Conosci il nome di alcuni mobili?

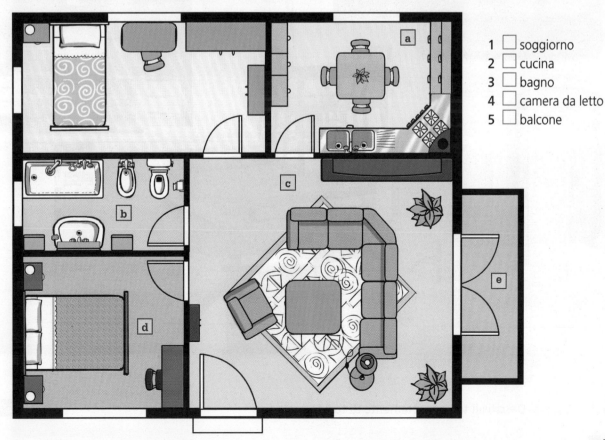

1 ☐ soggiorno
2 ☐ cucina
3 ☐ bagno
4 ☐ camera da letto
5 ☐ balcone

5b **mp3 T48** **Ascolto 1.** Scrivi i nomi delle stanze.

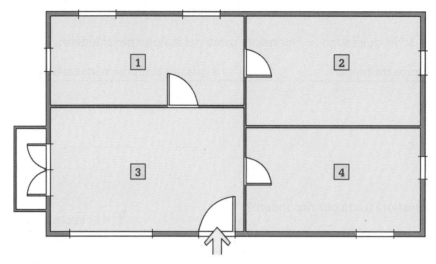

5c **mp3 T48** **Ascolto 2.** Quali di questi oggetti ci sono nell'appartamento?

5d **In coppia.** Descrivi il tuo appartamento al tuo compagno.

E7

Imperativo

1a Leggi e sottolinea i verbi all'imperativo.

1

Ciao Cecilia,
vado a vedere un altro appartamento in autobus ma quando finisco, alle 16, c'è sciopero. Non so come tornare a casa! Vieni a prendermi in macchina, per favore! Sono vicino alla Stazione Centrale. Dalla stazione prendi via Vitruvio e vai sempre dritta fino all'incrocio con corso Buenos Aires. Lì gira a sinistra e poi subito a destra in via Ozanam. Non parcheggiare lì perché è vietato. Aspettami più avanti in piazzale Bacone.
Grazie!
Jenny

2

Oggetto: visita dell'appartamento di Via Ozanam

Gentile Jenny,
mi dispiace, non posso venire all'appuntamento di oggi per visitare l'appartamento, ma lei può vederlo anche senza di me. Le chiavi sono dalla vicina di casa che sa già tutto. Quando arriva, suoni il campanello della Signora Corti e prenda le chiavi. Poi visiti pure la casa con calma. Apra anche le finestre se vuole. Quando ha finito chiuda tutto e porti le chiavi di nuovo alla vicina. Per cortesia, non lasci le finestre aperte. Poi mi telefoni per dirmi se le interessa.
Spero di sentirla presto.
Cordiali saluti
Marco
Agenzia "Casatua"

3

www.vendotutto.it

Volete vendere la vostra bicicletta, la vostra auto, il vostro appartamento?
Non perdete altro tempo!
Mettete un annuncio su Vendotutto!
Scrivete una breve descrizione dell'oggetto da vendere, scattate qualche foto
e spedite tutto al nostro indirizzo e-mail.
Facile e soprattutto… gratis!

1b Con l'aiuto dei verbi sottolineati completa le tabelle.

Imperativo	-ARE	-ERE	-IRE
tu	gir___	prendi	vien___
Lei	suoni	chiud___	apr___
voi	scatt___	scriv___	spedite

Imperativo negativo	-ARE	-ERE	-IRE
tu	non _____	non prendere	non venire
Lei	non _____	non chiuda	non apra
voi	non scattate	non _____	non spedite

1c **Trasforma da *Lei* 👤 a *tu* 👤.**

- ■ Senta, scusi, mi sa dire dov'è la biblioteca?
- ■ Sì, dunque, continui sempre diritto per questa strada fino al semaforo e lì giri a destra. Vada ancora dritto per circa 100 metri, poi giri ancora a destra e prenda viale Vittorio Emanuele. Dopo circa 200 metri attraversi il viale e la biblioteca è lì, accanto alla farmacia.

es. ■ *Senti, scusa, mi sai dire...*

1d **Trasforma da *tu* a *voi*.**

es. **Mamma:**   Giulia! Metti via la PlayStation, fai merenda e poi pulisci il tavolo, prendi i libri e studia! Quando hai finito di studiare telefona alla nonna perché oggi è il suo compleanno. Capito???

Marco e Giulia! Mettete via la PlayStation...

1e **Trasforma alla forma negativa.**

1 Attraversa la strada! _____
2 Chiuda la porta, per favore! _____
3 Aprite la finestra! _____
4 Salta sul letto! _____
5 Parcheggi davanti alla scuola! _____
6 Corri! _____

1f **Gioco. Formate 2 squadre.**

1 Scrivete 10 azioni che uno studente della squadra avversaria deve fare (per esempio: "porta una penna blu all'insegnante", "apri la finestra" ecc.). Poi scegliete lo studente della vostra squadra che farà le azioni della squadra avversaria.
2 A turno ogni squadra dà un ordine allo studente dell'altra squadra. Vince la squadra dello studente che fa più azioni in modo corretto.
3 Attenzione! Potete usare l'imperativo solo di questi verbi:

prendere / portare / scrivere / aprire / chiudere / disegnare / parlare / cantare / saltare / girare

▶E10, 11◀

Verbo *dovere*

2a **Associa le frasi ai significati di *dovere*.**

1 ☐ Per andare alla stazione, dovete prendere l'autobus n. 76.

a   indicare una necessità, un obbligo
b   dare consigli e suggerimenti
c   dare istruzioni

2 ☐ Se ti piace la musica lirica, devi andare a un concerto alla Scala di Milano.
3 ☐ Non possiamo venire al cinema, dobbiamo studiare.
4 ☐ Per mangiare delle buone lasagne, devi andare al Ristorante Sole.

2b **Completa con il verbo *dovere*.**

1 Per comprare il biglietto dell'autobus _____ (*voi*) andare all'edicola.
2 Cammina più veloce! _____ (*noi*) prendere il treno tra 10 minuti!
3 Se vuoi dimagrire non _____ mangiare tutto quel pane!
4 Oggi resto in ufficio fino a tardi, _____ finire questo lavoro entro stasera.
5 Per avere la tessera della biblioteca, gli studenti _____ portare una fotografia.
6 Vi piace Eros Ramazzotti? Allora _____ comprare il suo ultimo cd!

2c In coppia. Raccontate al vostro compagno che cosa dovete fare oggi.

es. *Devo fare la spesa, devo...*

2d Un amico viene in vacanza nella tua città. Scrivi un breve messaggio per dare dei consigli su che cosa vedere o fare (monumenti, locali notturni, piatti tipici...).

es. *Se ti piace il vino devi andare all'Enoteca Perbacco.*

▶ E12

Passato prossimo

3a Leggi le e-mail e collega le frasi.

●○○ ✉

Da: Paul
Oggetto: Ciao!

Ciao Jenny, come stai?
Perché non sei venuta al corso di italiano?
Non stai bene? Anch'io sono arrivato in ritardo perché sono uscito alle cinque dal lavoro e ho trovato molto traffico, ma la lezione è stata divertente, abbiamo parlato dei piatti della cucina italiana e delle bevande... A proposito: ho saputo che sabato è il compleanno di Andy e c'è una festa a casa sua, ci vieni?
A presto,
Paul

●○○ ✉

Da: Jenny
Oggetto: R: Ciao!

Ciao Paul,
grazie del messaggio. Sto benissimo. Non sono venuta perché sono andata in centro per vedere un appartamento che voglio affittare. Ma non ridere: non ho trovato la casa perché ho sbagliato a prendere l'autobus! Dovevo prendere il 9, invece l'ho perso e così ho chiesto informazioni a un ragazzo. Non so, forse non ha capito, ma mi ha dato un'indicazione sbagliata. Così ho preso un altro autobus e sono arrivata dall'altra parte della città. Ho cercato di tornare indietro, ma ormai era troppo tardi e alla fine è venuta Cecilia a prendermi in macchina.
Grazie dell'invito per sabato, ma vado a teatro con Stefania.
Buon fine settimana.
A martedì (SPERO!!!)
Jenny

1 ☐ Paul è arrivato in ritardo al corso di italiano		**a**	sabato va a teatro.
2 ☐ Jenny non è andata al corso		**b**	ha trovato traffico sulla strada.
3 ☐ Jenny non ha preso l'autobus n. 9	**perché**	**c**	è andata a vedere un appartamento.
4 ☐ Il ragazzo ha dato a Jenny un'informazione sbagliata		**d**	non ha capito la domanda di Jenny.
5 ☐ Jenny non può andare alla festa		**e**	l'ha perso.

3b Sottolinea nelle 2 e-mail i verbi al passato prossimo.

es. <u>sono arrivato</u> in ritardo / non <u>ho trovato</u> la casa

Come si forma il passato prossimo?

Ausiliare	+	Participio passato
essere o _____		(arrivato/trovato)
(al tempo _____)		

Participio passato

3c Scrivi nella tabella i participi passati dei verbi che hai sottolineato. Poi completa il box con le desinenze.

participio passato	
-are:	arrivato,
-ere:	saputo,
-ire:	uscito,

-ARE	→	- _____
-ERE	→	- _____
-IRE	→	- _____

Scrivi l'infinito di questi participi passati irregolari.

venuto → _____

stato → _____

perso → _____

chiesto → _____

preso → _____

3d Completa le frasi con il participio passato dei verbi tra parentesi.

1 ■ Leo, sei _____ (*andare*) alla stazione a prendere Sergio?

 ■ Sì, ma non è _____ (*arrivare*).

2 ■ Scusi, sa dirmi a che ora passa il 7?

 ■ È già _____ (*passare*).

3 ■ Franco, ieri sera sei _____ (*uscire*) con Matilde?

 ■ No, ho _____ (*finire*) di lavorare tardi e sono _____ (*tornare*) subito a casa.

4 ■ Hai _____ (*comprare*) il regalo per Silvia?

 ■ Sì, le ho _____ (*portare*) un mazzo di fiori.

5 ■ Ho _____ (*sapere*) che sei stato male...

 ■ Sì, ho _____ (*avere*) l'influenza, ma adesso sono _____ (*guarire*).

Avere o essere?

3e Scegli la risposta alle domande.

al cinema **/** alle 7 **/** un libro di ricette **/** Giovanni

1 Che cosa hai comprato? _____

2 Chi hai incontrato? _____

3 Dove sei andato? _____

4 Quando sei arrivato? _____

I verbi come *comprare* e *incontrare* sono **transitivi** perché hanno un complemento oggetto:

Ho comprato   **(che cosa?)** un libro di ricette.

Ho incontrato   **(chi?)** Giovanni.

I verbi **transitivi** formano il passato prossimo con l'ausiliare *avere*.

3f Guarda l'immagine con i verbi usati con *essere* e completa la regola.

Usano l'ausiliare *essere* i verbi:

1 di movimento: *andare*, _____

2 di stato: *stare*, _____

3 di cambiamento: *nascere*, _____

4 i riflessivi: _____

5 alcuni altri verbi: *cadere*

> ❗ Il **participio passato** dei verbi che hanno l'ausiliare *essere* si accorda con il soggetto (maschile, femminile, singolare, plurale).
>
> *Giulia è andat**a**.*   *Giulia e Sara sono andat**e**.*
>
> *Marco è andat**o**.*   *Marco e Paolo sono andat**i**.*

3g 🎲 **Il dado dei verbi!** (Appendici p. 131)
In coppia. Ogni giocatore pesca una carta con un verbo all'infinito e poi tira il dado. Ogni numero corrisponde a una persona (per esempio 1 = *io*, 2 = *tu*...). Coniuga il verbo al passato prossimo.

es. verbo *mangiare* + dado n. 4 = *noi abbiamo mangiato*

3h Completa il dialogo con l'ausiliare e la desinenza del participio passato.

■ Ciao Marco, perché tu non **(1)** _____ venut__ ieri sera? Io e Gianni **(2)** _____ aspettat__ fuori dal cinema per mezzora...

■ Mi dispiace, ma verso le 7 **(3)** _____ andat__ con Silvia all'ospedale perché **(4)** _____ nat__ il figlio di sua sorella. Quando **(5)** _____ uscit__ (*noi*), Silvia **(6)** _____ cadut__ dalle scale e si **(7)** _____ fatta male a una mano. **(8)** _____ rimast__ un'ora al pronto soccorso... addio cinema!

■ Ma perché non **(9)** _____ telefonat__?

■ Scusa, **(10)** _____ dimenticat__ il cellulare a casa!

3i In coppia. A turno. **Mima che cosa hai fatto ieri: il tuo compagno deve indovinare.**

es. *Hai mangiato. Hai preso l'autobus...*

▸ E13, 14, 15, 16, 17

Preposizioni articolate

4a **Leggi il testo e scegli il disegno giusto.**

Dalla finestra della mia camera vedo piazza Rossini, una piccola piazza molto tranquilla senza macchine e con tanti alberi. Per la strada ci sono molti studenti, perché c'è una grande biblioteca. C'è anche una grande chiesa: è molto antica e dal campanile si vede tutta la città. Nella fontana in mezzo alla piazza ci sono dei pesci rossi e delle piante acquatiche. Gli studenti si siedono spesso a chiacchierare sulle panchine intorno alla fontana. È davvero un posto molto piacevole.

4b **Rileggi il testo e sottolinea le preposizioni articolate.**

> **preposizione articolata = preposizione + articolo determinativo**
> **es.** **dal** campanile = **da** + **il** campanile

4c In coppia. Completate la tabella con degli esempi.

	di	a	da	in	su
il			*dal campanile*		
lo					
la		*alla biblioteca*		*nella fontana*	
l'					
i	*dei pesci*				
gli					*sugli alberi*
le					

4d Completa con le preposizioni *di, a, da, in, su* (semplici o articolate). Poi guarda la cartina dell'Italia: dove abitano Cristina, Paolo e Teresa?

Giornalista: Dove vivete? Com'è la vostra città?

Cristina: Io vivo **(1)** _____ (*in*) una grande città **(2)** _____ (*di*) Sicilia. Abito vicino **(3)** _____ (*a*) aeroporto, in un quartiere moderno. **(4)** _____ (*da*) mia finestra vedo l'Etna, il vulcano più grande d'Europa.

Paolo: Vivo in Umbria, **(5)** _____ (*in*) Italia centrale. **(6)** _____ (*in*) mia città ci sono molti stranieri che vengono da tutto il mondo per studiare l'italiano **(7)** _____ (*a*) università.
Eh sì, **(8)** _____ (*a*) stranieri piace molto l'Italia centrale, molti vengono a vivere proprio qui.

Teresa: Io vivo **(9)** _____ (*su*) una piccola isola molto famosa, vicino **(10)** _____ (*a*) Napoli. La mia casa è proprio **(11)** _____ (*su*) mare, di fronte **(12)** _____ (*a*) porto. Ogni giorno **(13)** _____ (*da*) costa arrivano molti traghetti pieni di turisti e **(14)** _____ (*a*) sera c'è molta animazione. È un posto bellissimo.

4e E tu dove vivi? Scrivi una breve lettera a un tuo amico italiano e descrivi la tua città. Fai attenzione alle preposizioni.

▶ E18, 19, 20, 21

Pronuncia

Suoni [ʃ] (pesce) e [sk] (scuola)

1 a `mp3 T49` Ascolta e leggi. Sottolinea le parole che contengono il suono [ʃ] e cerchia le parole che contengono il suono [sk].

es. *Oggi i bambini hanno mangiato pesce alla mensa della scuola.*

- Ciao Francesca, usciamo insieme oggi pomeriggio? Vorrei presentarti due amiche tedesche che ho conosciuto in vacanza.
- No, scusa, mi dispiace ma io oggi non esco perché devo studiare. Ma sono curiosa: dove le hai conosciute?
- A Ischia, l'estate scorsa. Sai, in estate Ischia è piena di turisti tedeschi. Loro mi hanno chiesto di scattare una foto, poi abbiamo cominciato a parlare ...
- Bello. Senti, facciamo così, se finisco presto di studiare vi raggiungo in centro. Dove ci vediamo?
- Se vieni in metropolitana scendi alla fermata Duomo perché noi andiamo in centro. Quando esci chiamami al telefono e ti dico dove siamo...

Le lettere <sc> si leggono → [ʃ] davanti alle vocali _____ e _____
→ [sk] davanti alle vocali _____, _____, _____ e davanti a <hi> e <he>

1 b `mp3 T50` Ascolta e scrivi le parole.

1 _____ 6 _____
2 _____ 7 _____
3 _____ 8 _____
4 _____ 9 _____
5 _____ 10 _____

I suoni [t] (tavolo) e [d] (dado)

2 a `mp3 T51` Ascolta e indica quando senti il suono [t] o il suono [d]. Poi riascolta e ripeti.

	1	2	3	4	5	6	7	8	9	10	11	12
[t]	X											
[d]		X										

2 b Completa le parole con <d>/<dd> o <t>/<tt>, poi leggi ad alta voce.

1 A__enzione! Non a__raversare la s__ra__a qui! Forse è meglio se vai più avan__i, __ove ci sono le s__risce pe__onali.

2 Pren__i la prima s__ra__a a sinis__ra e, __opo 50 me__ri, ve__i l'en__ra__a dell'universi__à sulla des__ra.

3 ■ Quan__o è lon__ano __a qui il __uomo?
   ■ A pie__i ci vogliono circa __ren__a minu__i. Se pren__i l'au__obus puoi arrivare in __ieci minu__i.

4 ■ Quan__o veni__e a __rovarmi?
   ■ Oggi non possiamo perché abbiamo __an__i compi__i. __obbiamo fare __o__ici esercizi __i gramma__ica.

5 ■ Oggi __evo an__are al corso __i __e__esco.
   ■ Sì, ma non pren__ere la bicicle__a perché fa mol__o fre__o. È meglio se pren__i il __ram. __evi comprare il biglie__o all'e__icola.

6 L'appar__amen__o non è mol__o gran__e. Ci sono __ue camere __a le__o, ma in cucina non posso me__ere il __avolo perché non ci s__a. In soggiorno pero c'è un __ivano mol__o como__o.

E22, 23, 24, 25

1 Caccia al tesoro

In coppia. Guardate la cartina di Modena e giocate.

Studente A vai in Appendice a p. 132.

Studente B guarda la cartina e dai allo studente A le indicazioni per trovare il suo tesoro:
"Per trovare il tesoro...".

Poi ascolta le indicazioni del tuo compagno e disegna sulla cartina il percorso che devi fare per trovare il tesoro.

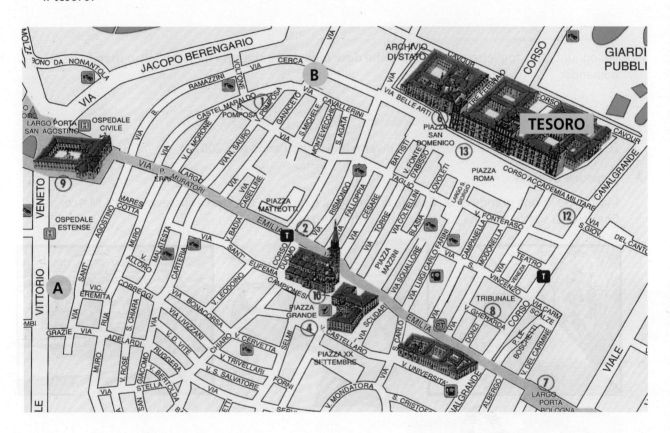

2 Non fare rumore!

Devi partire per un lungo viaggio di lavoro. Lasci il tuo appartamento a un amico che è venuto a studiare in Italia e ha bisogno di una casa. Scrivi un biglietto con le istruzioni.
Ecco alcune parole che puoi usare:

le piante / il gatto / il gas / la lavatrice /
il forno / il camino / la finestra / la porta /
le chiavi / la televisione / le scarpe con i tacchi /
il frigorifero / il computer / la posta

aprire / chiudere / lasciare / usare /
bagnare / mettere / accendere /
spegnere / dare / prendere

> Non fare rumore dopo le 11 di sera.
> _____
> _____
> _____
> _____
> Se hai bisogno di qualche cosa suona alla vicina.
> Ciao e buon divertimento!

a che cosa ho fatto!

a. Ognuno di voi pensa a 3 cose (importanti, divertenti, difficili) che ha fatto nell'ultimo anno.
ve su un foglietto quando ha fatto queste cose e una parola chiave per ogni situazione.

Per esempio, se a gennaio ho avuto un incidente in macchina posso scrivere:

gennaio	macchina

Poi ognuno dà il foglietto al compagno, che deve indovinare che cosa ha fatto l'altro usando delle domande:

es. A gennaio   hai comprato la macchina?
             hai imparato a guidare la macchina?

Se preferite, potete mettere delle date diverse indicando l'anno (nel 2001...)

4 **L'amore in città**

Marco vive in una grande città. Guarda le immagini e racconta che cosa è successo oggi a Marco.
Che cosa ha scritto Martina sul biglietto? Continua tu la storia.

Marco,

Frasi utili per...

1 Metti le frasi al posto giusto nella tabella.

Scusa/Scusi, dov'è la stazione? / Ci vuole un quarto d'ora. / È in fondo a questa strada, vicino al museo. /
Non so, mi dispiace. / Sì, è questa. / Suoni il campanello della vicina / È qui/è questo il Bar Sport? /
È a un chilometro da qui. / È questa la chiesa di S. Patrizio? / Quanto dista da qui la Rinascente? /
Ci vuole molto per andare in centro? / Ci vogliono venti minuti / Aprite il libro a p. 20 /
Devi prendere la metropolitana, linea rossa. / Da qui sono 200 metri. / Non toccare! /
Quanto ci vuole per andare/arrivare a Monza? / Prendi l'autobus n. 9

	domandare	rispondere
chiedere e dire come arrivare in un luogo	Mi sai/sa dire dov'è l'ospedale?	Devi/Deve andare...
chiedere se si è nel luogo che si sta cercando		No, questa è una pasticceria. Il Bar Sport è quello di fronte.
chiedere e dire quanto dista un luogo	È lontana da qui la stazione?	
chiedere e dire quanto ci vuole		
dare ordini	Non correte!	
dare istruzioni e suggerimenti	Non prenda la metropolitana.	

I miei appunti

Un po' di geografia

1a Con l'aiuto dell'insegnante metti i nomi delle regioni nella cartina.

> ~~Campania~~ - Veneto - Piemonte - Liguria - Puglia - Calabria - Emilia Romagna -
> Valle d'Aosta - Toscana - Marche - Abruzzo - Molise - Lazio - Trentino-Alto Adige -
> Basilicata - Lombardia - Sicilia - Friuli Venezia Giulia - Sardegna - Umbria

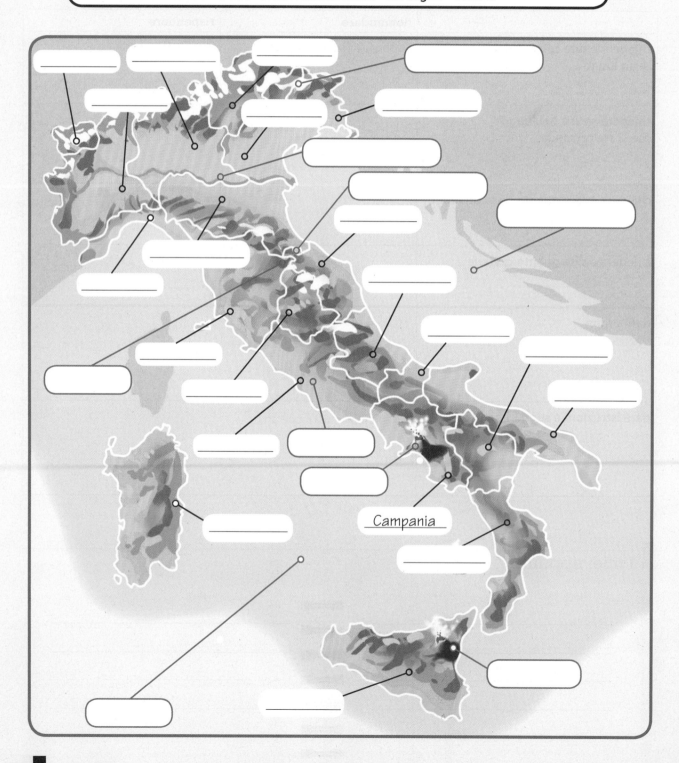

Campania

1 b Leggi il testo e completa la cartina di p. 116 con questi nomi.

Alpi - Appennini - pianura Padana - mar Tirreno - mar Adriatico -
San Marino - Città del Vaticano - Etna - Vesuvio

L'Italia è una penisola, tradizionalmente chiamata stivale
per la sua forma, che si affaccia sul Mediterraneo, tra il mar
Tirreno, il mare Adriatico e il mar Ionio. Il territorio italiano ha
due grandi catene montuose, le Alpi a nord e gli Appennini
che attraversano tutta la penisola.

Tra le Alpi e gli Appennini si estende la pianura Padana, la più
grande pianura italiana.

Appartengono all'Italia anche le due principali isole del
Mediterraneo, la Sicilia e la Sardegna. Ci sono poi molte altre
isole minori.

L'Italia ha tre vulcani attivi: l'Etna, in Sicilia, lo Stromboli nelle
isole Eolie e il Vesuvio, vicino a Napoli, che molti credono
spento. Un'altra particolarità dell'Italia è che ha nel suo
territorio due stati, San Marino e Città del Vaticano.

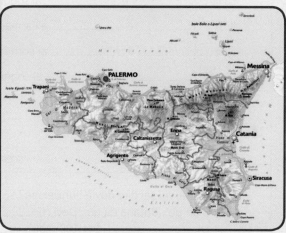

1 c `mp3 T52` Ascolta come alcune regioni italiane fanno
pubblicità alla radio per attirare i turisti. Scrivi il nome della
regione.

1 d Completa con il nome del capoluogo di regione
e delle province.

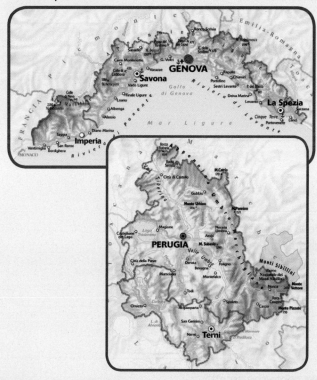

Spot 1 Regione _____

        Capoluogo _____

        Province _____

Spot 2 Regione _____

        Capoluogo _____

        Province _____

Spot 3 Regione _____

        Capoluogo _____

        Province _____

Spot 4 Regione _____

        Capoluogo _____

        Province _____

1 e Ogni provincia italiana è divisa in comuni. In quale regione e in quale provincia è il comune di Assisi?

_____

_____

Lessico

1 Completa con il nome dei mobili (1, 2, 3) o delle stanze (a, b, c) e le espressioni sotto, come nell'esempio.

di fronte / davanti / accanto / ~~vicino~~ / in fondo / in mezzo

Es: Il (1) *divano* è *vicino* **alla finestra.**

Il (2) _____ è _____ al soggiorno.

La (a) _____ è _____ al soggiorno.

Il (3) _____ è _____ all'armadio.

Il (b) _____ è _____ al corridoio.

La (c) _____ è _____ al soggiorno.

| punteggio | _____ / 10 |

2 Completa con i verbi.

scendere / andare dritto / salire / girare / attraversare

- Scusa, mi sai dire dov'è l'università?
- È un po' lontana da qui. Devi (1) _____ sull'autobus n. 9 e (2) _____ alla sesta fermata, poi devi (3) _____ per 100 metri, (4) _____ piazza Manzoni e prendere viale Giulio Cesare. Al semaforo devi (5) _____ a destra e l'università è lì, la vedi.

| punteggio | _____ / 5 |

| Lessico: punteggio totale | _____ / 15 |

Funzioni

3 Completa il dialogo con una o più parole.

- Scusi, (1) _____ la stazione degli autobus?
- No, questa è la stazione dei treni. La stazione degli autobus è in piazza Cadorna.
- (2) _____?
- No, non molto. Ma lei è a piedi o ha la macchina?
- (3) A piedi. _____?
- Ci vogliono circa 20 minuti.
- (4) _____?
- Sì, c'è l'autobus n. 23.
- (5) _____
- È là, vede? Davanti al supermercato. Dove c'è tanta gente che aspetta.
- Grazie mille.
- Di niente.

| punteggio | _____ / 10 |

4 Completa questi ordini/consigli/istruzioni. Usa i verbi all'imperativo (affermativo o negativo) o il verbo *dovere*.

andare **/** aprire **/** toccare **/** fare **/** leggere

1 Ragazzi, adesso _____ il libro a pagina 45 e _____ l'esercizio 19.

2 Marta, _____ l'ultimo libro di Alessandro Baricco. È bellissimo!

3 Mi dispiace signora, qui abbiamo solo le cartoline. Per i francobolli _____ dal tabaccaio.

4 Marco, attento! _____ il divano bianco con le mani sporche!

punteggio	_____ / 5

Funzioni: punteggio totale	_____ / 15

Grammatica

5 Completa con i verbi al passato prossimo.

- ▪ Pronto?
- ▪ Ciao Giovanni, sono Renzo,
- ▪ Ciao Renzo! Che cosa è successo? Perché non (1) _____ (*venire*) al corso di ballo latino-americano ieri?
- ▪ Perché (2) _____ (*finire*) tardi di lavorare e quindi (3) _____ (*tornare*) a casa subito. Ero così stanco che (4) _____ (*mangiare*) qualcosa e poi (5) _____ (*andare*) subito a dormire. Non (6) _____ (*telefonare*) perché il cellulare era scarico. E tu? (7) _____ (*ballare*) in coppia con Lucia?
- ▪ Sì, come sempre. Poi, dopo la lezione, io e lei (8) _____ (*cercare*) un ristorante carino per mangiare qualcosa. Lì (9) _____ (*noi, incontrare*) Paolo e Francesca e così (10) _____ (*noi, cenare*) tutti e quattro insieme. Lo sai che Paolo e Francesca (11) _____ (*comprare*) un nuovo appartamento fuori città? Sabato sera fanno una festa per inaugurare la nuova casa e (12) _____ (*invitare*) tutti gli amici. Vieni?
- ▪ Sì, va bene. Si può fare.
- ▪ Ok, allora ci vediamo sabato.
- ▪ Ok. Salutami Lucia.

punteggio	_____ / 12

6 Completa con le preposizioni articolate.

Jenny è una ragazza molto ordinata. (1) _____ (*in*) suo appartamento tutto è al suo posto: le scarpe sono (2) _____ (*in*) la scarpiera in bagno, gli occhiali sono (3) _____ (*su*) tavolino davanti alla TV, i vestiti sono tutti (4) _____ (*in*) armadio, i libri di scuola e le penne sono (5) _____ (*su*) scrivania in camera, i piatti e i bicchieri sono tutti (6) _____ (*in*) mobiletti in cucina, il barattolo del caffè è vicino (7) _____ (*a*) zucchero e le piante del basilico e del prezzemolo davanti (8) _____ (*a*) finestra.

punteggio	_____ / 8

Grammatica: punteggio totale	_____ / 20

PUNTEGGIO TOTALE DEL TEST	_____ / 50

Unità **01**

Lessico es. **3**a, p. 15

1 dottore

2 _____

3 impiegata

4 _____

5 infermiera

6 _____

7 studentessa

8 _____

Lessico es. **3**e, p. 15

In coppia. Pescate una carta ciascuno e a turno fate le domande e rispondete.

• Marco • italiano • farmacista	• Jin Jin • cinese • segretaria	• Juan • spagnolo • ingegnere	• Mohamed • senegalese • poliziotto	• Mary • inglese • commessa	• Rochana • filippina • attrice
• Nina • tedesca • ballerina	• Abdul • marocchino • giornalista	• Miwa • giapponese • segretaria	• Pablo • argentino • tassista	• Lada • polacca • studentessa	• Aleida • colombiana • bancaria

Lessico es. 4d, p. 16

Studente B

Silvia: _____	Fabrizio: 041 8263879
Ilaria: _____	Mario: 333 7328288
Giovanni: _____	Giulia: 0472 927372
Roberta: _____	Matteo: 345 3379027
Alessandro: _____	Anna: 338 4740323
Federica: _____	Marco: 328 0183764

Grammatica es. 1e, p. 17

Studente A

Fai le domande e completa con le informazioni dello studente B.

NOME

COGNOME

ANNI

NAZIONALITÀ

RESIDENZA

PROFESSIONE

Dai queste informazioni allo studente B.

NOME
Roland
COGNOME
Clear
ANNI
29
NAZIONALITÀ
irlandese
RESIDENZA
Pavia, via della Spiga, 5
PROFESSIONE
ingegnere

Dai queste informazioni allo studente A.

NOME
Lourdes
COGNOME
Rodriguez
ANNI
22
NAZIONALITÀ
cubana
RESIDENZA
Napoli, via Solferino, 45
PROFESSIONE
insegnante

Fai le domande e completa con le informazioni dello studente A.

NOME

COGNOME

ANNI

NAZIONALITÀ

RESIDENZA

PROFESSIONE

Studente B

Grammatica es. 5b, p. 21

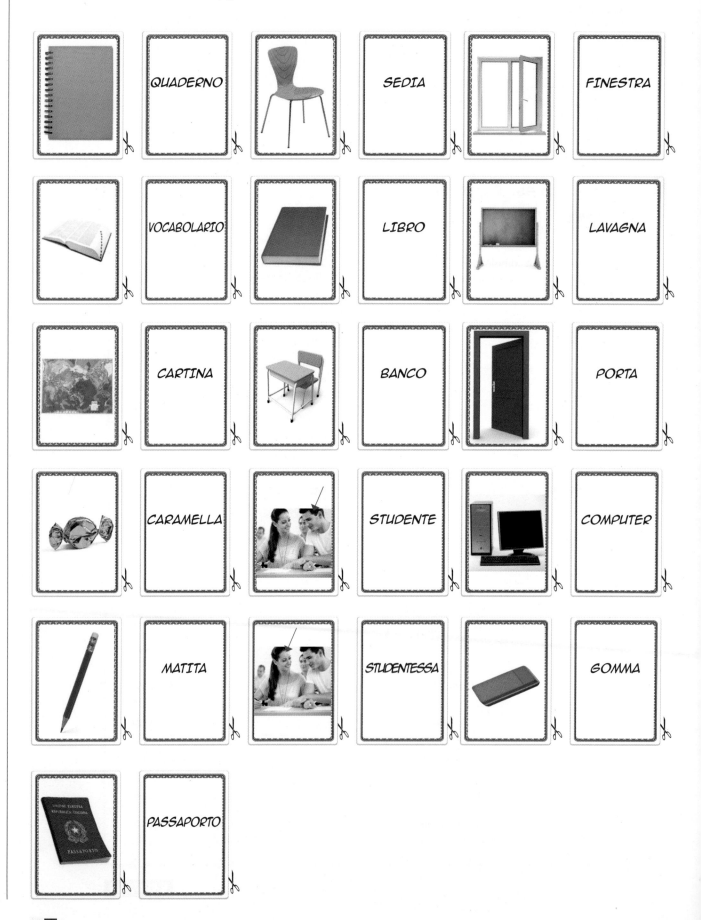

	QUADERNO		SEDIA		FINESTRA
VOCABOLARIO		LIBRO		LAVAGNA
CARTINA		BANCO		PORTA
CARAMELLA		STUDENTE		COMPUTER
MATITA		STUDENTESSA		GOMMA
PASSAPORTO

Unità **02**

Per capire es. 3d, p. 34

Treno per Roma
Binario

Stanza singola
Indirizzo
dell'albergo

Museo d'arte
moderna
Biglietto
Visita guidata

Sigarette
Francobollo
per la Francia

Caffè
Brioche alla
marmellata

La Repubblica
Biglietto del tram

Lessico es. 2b, p. 36

Domanda e completa con le risposte del tuo compagno.

Studente B

	🚗	🏊	❄️	🍸	🍴	☂️	🔌	🛗
Hotel Roma ★★★								
Hotel Miramare ★★	●		●	●		●		●
Camping Odissea ★★								
Villaggio camping La Torre ★★★	●	●		●	●		●	

Lessico es. 3b, p. 37

Studente B

Albergatore

1 Tipo di camera: _____

Date: _____

Numero telefonico: _____

Costo della stanza con colazione: *95 euro*

Costo della stanza a pensione completa: *115 euro*

Costo della stanza a mezza pensione: *108 euro*

Turista

2 Tipo di camera: *camera singola*

Date: *10-16 febbraio*

Numero telefonico: *011-6548089*

Costo della stanza con colazione: _____

Costo della stanza a pensione completa: _____

Costo della stanza a mezza pensione: _____

Lessico es. 4d, p. 38

Studente B

Eurobanca
Orario di apertura al pubblico

	mattino	**pomeriggio**
feriale	8.35 – 13.35	14.15 – 15.45
sabato	_____ – 13	chiuso

QUESTURA DI TORINO

orario apertura

lunedì-venerdì: h. 9.00-_____
martedì e giovedì: h. 15.30-17.30

posteinforma

orario al pubblico
lun/ven

_____

sab **8.30 - 12**

MUSEO ARCHEOLOGICO

orario apertura
feriale   9.30-19.00
festivo   9-_____

BIBLIOTECA
Orari:

Martedì - sabato   **9-12.30**

_____

Chiuso il lunedì

questa farmacia
osserva il seguente orario
mattino: dalle **9.00** alle **12.30**
pomeriggio: dalle **15.00** alle **19.00**

Grammatica es. 4e, p. 43

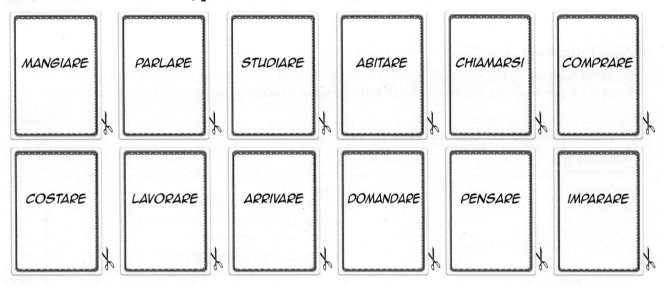

MANGIARE	PARLARE	STUDIARE	ABITARE	CHIAMARSI	COMPRARE
COSTARE	LAVORARE	ARRIVARE	DOMANDARE	PENSARE	IMPARARE

Facciamo il punto es. 1, p. 47

Squadra B

attirare l'attenzione	Scusa… / Senti, scusa… (informale)	Scusi… / Senta, scusi… (formale)
fare una richiesta	Vorrei dei francobolli. (Vorrei + NOME)	
salutare quando vado via	Vorrei cambiare dei dollari. (Vorrei + VERBO INFINITO)	
	domandare	**rispondere**
chiedere il costo		60 euro a notte/a camera
chiedere la durata	Quanto tempo volete fermarvi? Per quando?	
chiedere se c'è qualcosa		Sì, c'è. / No, purtroppo no, mi dispiace. / Sì, certo/certamente.
chiedere conferma		Giusto. / Sì, certo.
chiedere orari	Che ore sono? Che ora è? Hai l'ora? Per favore, anche ora è la cena?	
chiedere di dire un nome lettera per lettera		(Leo) Elle e o. (Leo) Livorno Empoli Otranto.
	testo scritto informale	**testo scritto formale**
iniziare una lettera/cartolina		Gentile Signor Rossi / Gentili Signori… Spettabile Villaggio Turistico
concludere una lettera/cartolina	Saluti / (Tanti) cari saluti Un (grosso) bacio Un abbraccio / Ti abbraccio A presto	

Appendice Eserciziario

Sezione esercizi, U2, es. 4, p. 11

Studente A (*parole da dire lettera per lettera*): carabinieri, ferrovie, Pronto soccorso, telegramma, spiaggia, 88.
Studente B (*parole da dire lettera per lettera*): autonoleggio, tabaccheria, aeroporto, 67, biglietto, parcheggi.

Sezione esercizi, U2, es. 5b, p. 12

Studente B

Hai l'e-mail

    a *della tua agenzia viaggi?*

    _____

    b *dell'università per stranieri?*

    _____

    c *dell'albergo di Napoli?*

    _____

Risposte per studente A

a ufficio del turismo di Ravenna:
info-turi@ravenna.it

b stazione dei treni di Parma:
ferrovie-parma@trenitalia.it

c aeroporto di Linate: sea@aeroportimilano.it

Sezione esercizi, U2, es. 7, p. 12

Studente B *reception*

Orari sveglia	Numero di stanza
▪ ?	?
▪ ?	?
▪ ?	?
▪ ?	?

Studente B *turista*

Orari sveglia	Numero di stanza
● 8.40	22
● 6.50	39
● 5.20	17
● 6.45	62

Unità 03

Lessico, es. 2c, p. 56

Tagliate e mescolate le carte. In coppia mettetele in ordine e dite a turno che cosa fa Luigi ogni giorno. Scrivete dietro la carta una domanda come nell'esercizio a p. 56. Mescolate di nuovo e provate a rispondere alla domanda senza guardare il disegno.

Il lunedì pomeriggio

Il martedì pomeriggio

Il mercoledì sera

Il sabato sera

Il mercoledì mattina

La domenica notte

Il giovedì mattina

Il giovedì sera

Il lunedì mattina

Il martedì sera

Il venerdì notte

La domenica mattina

Grammatica es. 1c, p. 61

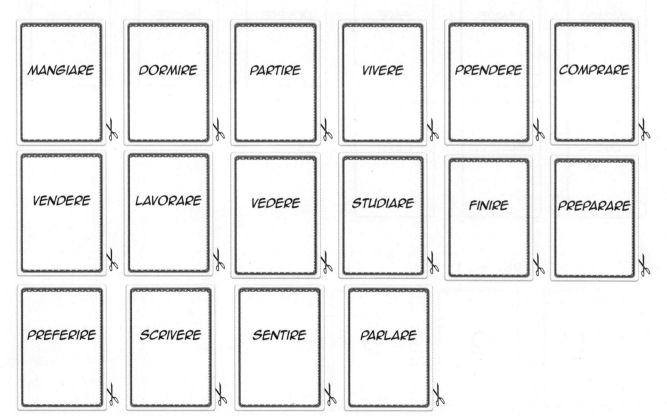

MANGIARE	DORMIRE	PARTIRE	VIVERE	PRENDERE	COMPRARE
VENDERE	LAVORARE	VEDERE	STUDIARE	FINIRE	PREPARARE
PREFERIRE	SCRIVERE	SENTIRE	PARLARE		

Grammatica es. 3b, p. 64

VADO	DEVO	FACCIO	VOGLIONO	ESCE	DEVI
VOLETE	VUOLE	VENITE	VIENE	VA	ESCO
ESCONO	VANNO	FANNO	DOVETE	VENGONO	FACCIAMO

Grammatica es. 3c, p. 64

ANDARE	VENIRE	FARE	DOVERE	USCIRE	VOLERE
DIRE	RIMANERE	BERE			

Grammatica es. 5c, p. 66

1	2	3

Unità **04**

Grammatica es. **2**c, p. 85

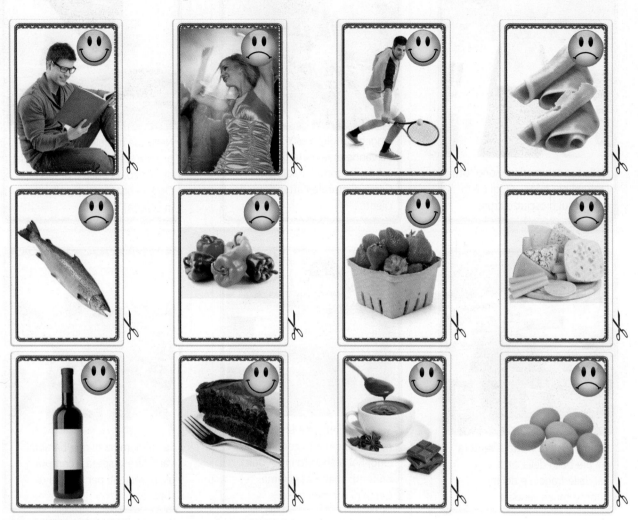

Produzione libera es. **1**, p. 90

Antipasti		**Secondi**	
Insalata di mare	€ 6,00	Fritto misto di pesce	€ 15,00
Affettati	€ 5,50	Grigliata di pesce	€ 15,00
Insalata caprese	€ 6,00	Arrosto di maiale	€ 11,00
Verdure alla griglia	€ 4,00	Frittata con i pomodori	€ 8,00
Primi		**Contorni**	€ 3,00
Spaghetti allo scoglio	€ 7,00	Patate arrosto/fritte	
Zuppa di pesce	€ 6,00	Insalata mista	
Lasagne alla bolognese	€ 7,50		
Zuppa di verdure	€ 6,00	**Dolci**	€ 6,00
		Crostata alle pere	
		Cassata siciliana	
		Macedonia con gelato	
		Sorbetto al limone	

Produzione libera es. 2, p. 90

Nella tua salumeria ci sono tutti i salumi più buoni. Oggi c'è lo sconto sul prosciutto crudo.

Oggi hai molto pesce fresco da vendere: le orate, il pesce spada, il tonno e il salmone. Cerca di attirare l'attenzione dei clienti.

Nella tua macelleria c'è una grande scelta di carne di maiale, di manzo, di pollo e di tacchino. Oggi le bistecche di pollo sono in offerta!

Il tuo banco di frutta e verdura è il più bello della città. Oggi hai delle fragole e dei meloni buonissimi da vendere.

Sei un panettiere e un pasticcere napoletano molto conosciuto. Oggi hai preparato i tuoi dolci preferiti: i babà alla crema. Cerca di venderli tutti!

Sei la mamma di due bambini. Vai a fare la spesa e compra gli ingredienti per la cena di stasera.

Questa sera prepari una cena vegetariana per tutti i tuoi amici. Vai a fare la spesa.

Sei un ragazzo sportivo e attento alla salute. Domani hai una gara e questa sera vuoi preparare una cena leggera. Vai a fare la spesa.

Oggi è il compleanno della tua ragazza. Per festeggiare organizzi una cenetta romantica. Vai a fare la spesa.

Unità **05**

Lessico es. **1**f, p. 101

Chiedi al tuo compagno dove sono questi edifici.
1 la stazione
2 Il cinema Ariston
3 Il ristorante Gambero Rosso
4 la fermata dell'autobus n. 7
5 il supermercato
6 l'edicola

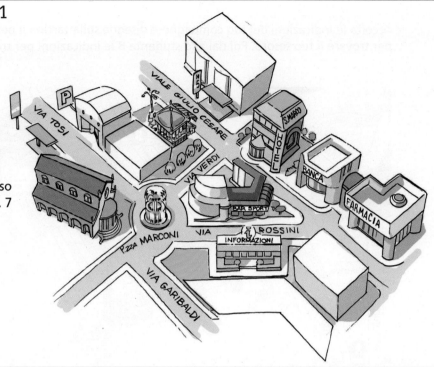

Grammatica es. **3**g, p. 109

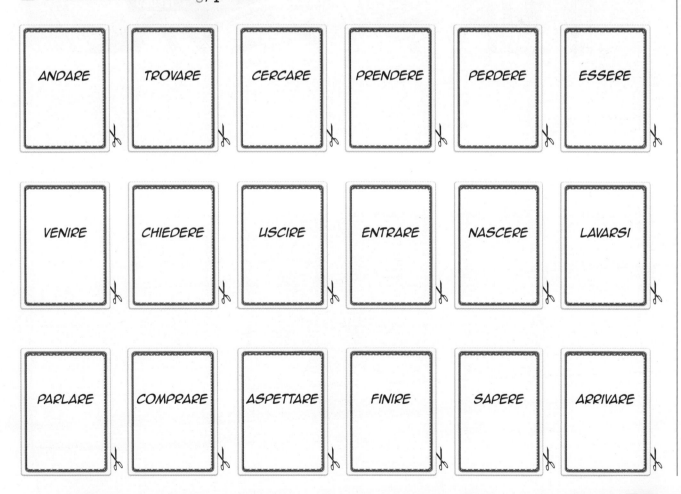

ANDARE	TROVARE	CERCARE	PRENDERE	PERDERE	ESSERE
VENIRE	CHIEDERE	USCIRE	ENTRARE	NASCERE	LAVARSI
PARLARE	COMPRARE	ASPETTARE	FINIRE	SAPERE	ARRIVARE

Produzione libera es. 1, p. 113

Ascolta le indicazioni del tuo compagno e disegna sulla cartina il percorso che devi fare per trovare il tuo tesoro. Poi dai allo studente B le indicazioni per trovare il suo tesoro

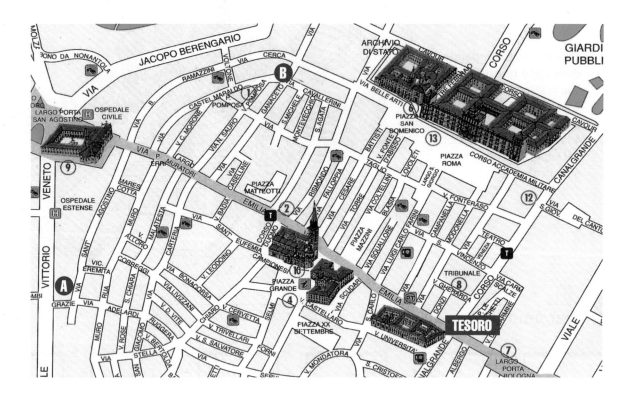

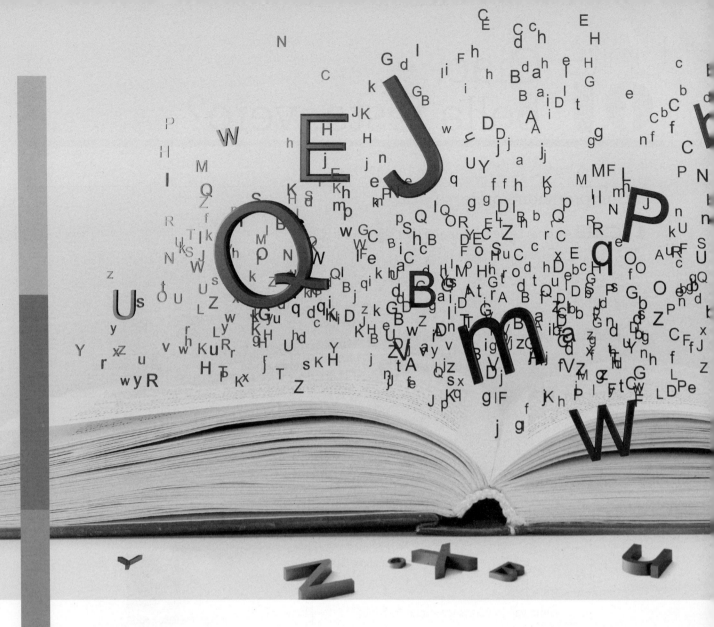

Sezione esercizi   p.   2

Sintesi grammaticale   p.   48

Comprensione orale

1 **mp3 T53** Ascolta. Le persone usano il *tu* 👤 o il *Lei* 👥?

1 albergo	☐ tu ☐ Lei		4 strada	☐ tu ☐ Lei
2 autobus	☐ tu ☐ Lei		5 festa	☐ tu ☐ Lei
3 treno	☐ tu ☐ Lei		6 casa	☐ tu ☐ Lei

2 **mp3 T54** Ascolta e completa la tabella.

	nome	nazionalità	dove abita	professione
1				
2				
3				

Comprensione scritta

3a Leggi la cartolina e fai gli esercizi.

12 maggio 2014

Cara Rosa,

come va? Io benissimo. Sono in Sicilia
per una settimana a trovare degli amici.
Il mare è bello e faccio tanti bagni.
Quando torna Jean da Parigi?
Io torno a Torino tra quattro giorni.
Ci vediamo. Telefonami!
Un caro saluto
Stefano

Per
Rosa Corna
Viale della Repubblica, 10

13065 COSSATO (BI)

3b Rispondi.

1 Chi scrive? _____
2 A chi scrive? _____
3 Qual è la data? _____

3c Vero o falso?

	V	F
1 Stefano è in viaggio per lavoro.	☐	☐
2 Stefano è in Italia.	☐	☐
3 Jean è in Francia.	☐	☐

3d Sottolinea:

1 come inizia la cartolina?
2 come saluta Stefano? Conosci altri saluti?

4a Leggi gli indirizzi per trovare queste informazioni.

1 <u>Sottolinea</u> i nomi dei dentisti.
2 Riquadra il nome della scuola di lingue.
3 Fai una croce (**X**) sui traduttori e interpreti.
4 ~~Cancella~~ l'avvocato di Genova.
5 Cerchia i nomi degli architetti.
6 Unisci con una linea i nomi degli aeroporti.

○ ○ ○

STUDIO DENTISTICO ASSOCIATO
Dr. Maurizio Cella
Dr. Carlo Scotti
V. Palazzolo, 54
20100 MILANO (MI)
tel. 02/4344890

➡ Categorie

ARCH. MARCO BUFFON
V.le dei Mille, 62
50131 FIRENZE (FI)
tel. 055/569833

➡ Categorie

AUTONOLEGGIO AVIS
V. Crispi, 250
90139 PALERMO (PA)
Tel. 091/586940

➡ Categorie

CENTRO SERVIZI TRADUZIONI E INTERPRETARIATO
P.zza dell'Immacolata, 8
80129 NAPOLI (NA)
tel. 081/912255

➡ Categorie

SCUOLA DI LINGUE MARCO POLO
Corsi di cinese - coreano - russo
C.so Vittorio Emanuele, 123
90145 PALERMO (PA)
tel. 091/3390672

➡ Categorie

DR.SSA ANNA PUCCI
Dentista/Medico chirurgo
P.zza S. Anna, 12
80132 NAPOLI (NA)
tel. 081/132546
cell. 333/9090561

➡ Categorie

HERZ NOLEGGIO AUTO
V. Sardegna, 30
00191 ROMA
Tel. 06/3216886

➡ Categorie

EUROPCAR ITALIA S.P.A.
P.le Venticinque Aprile,
37138 VERONA (VR)
Tel. 045/592759

➡ Categorie

STUDIO LEGALE ABBADO
Avv. Abbado Luigi
V. Savona, 11
16125 GENOVA (GE)
tel. 010/3316389
cell. 338/1742356

➡ Categorie

AVVOCATI ANGELO RIVA - MONICA SAPONARO
C.so Buenos Aires, 80
20124 MILANO (MI)
tel. 02/433558

➡ Categorie

CRISTINI FEDERICO TRADUTTORE E INTERPRETE
Italiano/Russo
V. Giolitti, 13
00185 ROMA
tel. 06/9091244
cell. 333/61355669

➡ Categorie

STUDIO DI BIOARCHI-TETTURA - ARCHITET-TURA ECOLOGICA
Arch. Silvana Scarabelli
V.le Archimede, 181
00197 ROMA
tel. 06/11567345

➡ Categorie

AEROPORTO CIVILE DI ROMA URBE
V. Salaria, 825
00138 ROMA
Tel. 06/8120524

➡ Categorie

AEROPORTO INTERCONT.LE MALPENSA VARESE OROAIR S.C.R.L.
V. Malpensa, 2000
20100 MILANO (MI)
Tel. 02/58581026

➡ Categorie

AEROPORTO CIVILE INTERNAZ.LE LINATE CID ITALIA S.R.L.
V.le Enrico Forlanini,
20100 MILANO (MI)
Tel. 02/717493

➡ Categorie

4b Associa abbreviazione e parola.

1 ☐ Cell.
2 ☐ V.
3 ☐ V.le
4 ☐ P.zza
5 ☐ P.le
6 [f] Tel.
7 ☐ C.so

a piazza
b viale
c corso
d telefono cellulare (telefonino)
e piazzale
f telefono
g via

Lessico

5 Completa con le nazionalità al maschile o al femminile.

Orizzontali:
nato in…

1 America
2 Russia
3 Italia
4 Svizzera
5 India
6 Spagna
7 Portogallo

Verticali:
nato in…

8   Ungheria
9   Messico
10 Argentina
11 Canada
12 Cina
13 Romania
14 Inghilterra

6 Scrivi i nomi delle professioni sotto ai disegni.

-gre / se / -ria / -ta
com / -sa / -mes
-sti / no / po
-fer / -ra / in / -mie
-den / -te / stu-
in / -re / -gne / -ge

1 ■ Che lavoro fai?
● Sono _studente_____

2 ■ Che lavoro fai?
● Sono _____

3 ■ Che lavoro fai?
● Sono _____

4 ■ Che lavoro fai?
● Sono _____

5 ■ Che lavoro fai?
● Sono _____

6 ■ Che lavoro fai?
● Sono _____

7 mp3 T55 La tombola. Scegli una cartella e segna con una croce i numeri che senti leggere.

1	11	20
6		25
4	16	
8	18	

7	10	
	13	27
9	15	29
		30

Hai fatto tombola?

8 Scrivi i numeri al posto giusto.

tre	tredici	zero	ventitré	quattro	diciassette
dieci	sette	sedici	undici	diciannove	due
nove	venti	cinque	quindici	uno	ventuno
~~otto~~	diciotto	dodici	sei	quattordici	ventotto
ventisette	trenta				

0 = _____

1 = _____

2 = _____

3 = _____

4 = _____

5 = _____

6 = _____

7 = _____

8 = *otto*_____

9 = _____

10 = _____

11 = _____

12 = _____

13 = _____

14 = _____

15 = _____

16 = _____

17 = _____

18 = _____

19 = _____

20 = _____

21 = _____

23 = _____

27 = _____

28 = _____

30 = _____

9 Completa la carta d'identità.

27 settembre 1976 / calciatore / Totti / italiana / m. 1,80 / Roma

Cognome.....................
Nome. **Francesco**.....................

nato il...... 16 P. 2 S..... A..)
(atto n........ (.....)
a **Roma**.......(.....)

Cittadinanza.....................

Residenza.....................
Via. **Nazionale Italiana 1**

Stato civile. **Sposato**

Professione.....................

CONNOTATI E CONTRASSEGNI SALIENTI

Statura.....................
Capelli **castani**
Occhi **azzurri**
Segni particolari **grande campione!**

Firma del titolare............
il...... **(12/2/2014)**

Impronta del dito indice sinistro

IL SINDACO

Grammatica

10 Completa con i pronomi.

io **/** tu **/** lei **/** lui

1 **Insegnante:** Markus, vieni alla lavagna, per favore.
   Studente: Scusi, _____ sono Christopher, _____ è Markus.

2 **Insegnante:** Paula, vuoi leggere, per favore?
   Studente: Scusi, _____ sono Rachel, _____ è Paula.

3 **Insegnante:** _____ sei Javier?
   Studente: No, _____ sono Kiran, _____ è Javier.

4 **Insegnante:** Mariella, vai a pagina 20, per favore.
   Studente: Non sono Mariella, _____ sono Laura.

5 **Insegnante:** Scusa, ma _____ come ti chiami?
   Studente: _____ mi chiamo Naomi.

11 Completa con il presente dei verbi e i pronomi *tu* o *Lei*.

1 ■ Ciao, come _____ (*chiamarsi*)?
   ● Rino, e _____?
   ■ Carlo, piacere.
   ● Dove _____ (*abitare*)?
   ■ A Caserta, ma _____ (*essere*) di Foggia.

2 ■ Ciao Marcello, come _____ (*stare*)?
   ● Bene, e _____, Carla?
   ■ Non c'è male, grazie.

3 ■ Peter, _____ (*essere*) tedesco?
   ● No, _____ (*essere*) austriaco, di Vienna.
   ■ Quanti anni _____ (*avere*)?
   ● 25, e _____?
   ■ Io 32.

4 ■ Signor Rossi, che lavoro _____ (*fare*)?
   ● Sono dottore, lavoro in un ospedale privato a Bologna. E _____?
   ■ Io invece _____ (*essere*) farmacista. _____ (*avere*) una farmacia nel centro di Firenze.

5 ■ Scusa, sai come si chiama il ragazzo con la t-shirt rossa?
   ● Garrett.
   ■ Di dove _____ (*essere*)?
   ● _____ (*essere*) irlandese, di Dublino.
   ■ E la ragazza vicino a lui?
   ● Lei invece _____ (*essere*) di Colonia, ma _____ (*abitare*) a Napoli adesso.

12 In coppia. Ripeti questi dialoghi a turno con il tuo compagno.

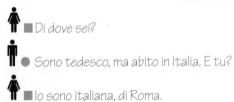

■ *Di dove sei?*

● *Sono tedesco, ma abito in Italia. E tu?*

■ *Io sono italiana, di Roma.*

Studente A	Studente B
australiano – di Sydney	francese – in Danimarca
tedesco – di Berlino	argentino – in Inghilterra
brasiliano – di Rio de Janeiro	messicano – in Canada
marocchino – di Rabat	giapponese – in Australia
iracheno – di Baghdad	olandese – in Sudafrica

☀ **13** Completa con *di*, *a* oppure *in*.

Preposizioni
essere **di** + città d'origine   **es.** Sono di Torino.
abitare ⟨ **a** + città   **es.** Abito a Napoli.
in + Stato   **es.** Abito in Germania.

La Min: Paula è brasiliana, _____ Rio de Janeiro, invece
Kiran è _____ Dublino; l'altro ragazzo vicino a Kiran
è Peter: è inglese, _____ Manchester, ma adesso
abita _____ Milano.

Markus: Naomi è _____ Hong Kong e la sua amica Rachel è
americana, _____ Boston, ma abita _____ Italia
perché suo marito è italiano. Il ragazzo invece è Javier, è
spagnolo e abita _____ Madrid.

Vicky: La ragazza vicino a Peter è Nazli. È turca, _____
Istanbul. Il ragazzo vicino a Nazli invece è russo, _____ Mosca, ma abita _____ Inghilterra
perché la sua ragazza è inglese. Lei abita _____ Londra.

Theo: Caroline è australiana, _____ Sidney. Il ragazzo vicino a Caroline è svedese, _____
Stoccolma, ma abita _____ Francia, _____ Marsiglia.

14 Michela Alberti si presenta. Riordina le parole nelle frasi.

1 sono nata / ~~Mi chiamo~~ / a Milano / e / Michela Alberti / il 5 maggio 1968.
Mi chiamo _____

2 con la mia famiglia. / a Roma / abito / ma / ~~Sono di Milano,~~
Sono di Milano, _____

3 Marco, di 6 anni / ~~Ho~~ / Lucia, di 3 anni. / e / due figli,
Ho _____

4 in banca, / io invece / ~~Mio marito~~ / in un negozio. / lavoro / lavora
Mio marito _____

5 è / una grande festa / ~~Oggi~~ / faccio / perché / il mio / compleanno.
Oggi _____

☀ **15** Completa con: *e*, *ma*, *o*.

1 Sono inglese _____ abito in Gran Bretagna.

2 Questa è Lucia _____ lui è Giulio.

3 Sei spagnolo _____ argentino?

4 Io sono tedesco _____ mia madre è italiana.

5 Silvia ha 22 anni _____ Paola 18.

6 Tu sei Marina _____ Martina?

7 Lavoro a Milano _____ sono di Perugia.

8 La ragazza di Dimitri è russa _____ italiana?

9 Mark è americano _____ lavora in Italia.

10 Ho due figli, Alessandro _____ Giulia.

16 Guarda gli oggetti e completa con *un* o *una*.

Nella borsa di Martina c'è...	In classe c'è...

1 _____
portafoglio

2 _____
cellulare

3 _____
penna

7 _____ lavagna

8 _____
cestino

9 _____
finestra

4 _____
matita

5 _____ fazzoletto

6 _____
caramella

10 _____ banco   11 _____ sedia   12 _____
libro

Funzioni

17 Abbina domanda e risposta.

1 ☐ Sei spagnolo?

2 ☐ Sei stanco?

3 ☐ Studi o lavori?

4 ☐ Di dove sei?

5 ☐ Sei italiano?

6 ☐ Come sta, signor Botta?

7 ☐ Ciao Lisa, tutto bene?

8 ☐ Hai il numero di telefono di Sara?

9 ☐ Che lavoro fai?

10 ☐ Quanti anni hai?

a Non tanto, sono un po' stanca, e tu?

b Sì, di Madrid.

c No, mi dispiace.

d Non c'è male grazie. E Lei?

e Sì, un po'. Ho fatto tardi ieri sera.

f Sono cubano, dell'Avana.

g Adesso non lavoro, ma sono architetto.

h No, sono nato in Argentina ma mio padre è italiano.

i Io undici, e tu?

l Lavoro, sono ingegnere in una ditta italiana a Sydney.

18 Scrivi le domande.

1 _____? Ho 23 anni. E tu?

2 _____? No, ho una matita.

3 _____? Lavoro in una banca. E Lei?

4 _____? Studio. Faccio il terzo anno di medicina. E tu?

5 _____? No, Marcel è canadese, di Montreal.

6 _____? Markus. E tu?

7 _____? Per amore. Mia moglie è italiana.

8 _____? Sono un giornalista sportivo.

9 _____? Martino abita a Milano.

10 _____? Infermiera. In italiano si dice così.

19 Completa il dialogo.

■ _____?

● Klaus. E tu?

■ _____. _____?

● Sono tedesco, di Berlino.

■ _____?

● Ventotto. E tu?

■ _____. _____?

● Per lavoro.

■ _____?

● Sono architetto.

Pronuncia e ortografia

20 `mp3 T56` Città italiane. Ascolta e completa con le vocali.

1 V__r__n__
2 M__nt__chi__r__
3 C__rp__
4 Pr__t__

5 N__v__ L__g__r__
6 Gr__ss__t__
7 Ri__t__
8 F__ltr__

9 M__ss__n__
10 N__p__l__
11 B__logn__

21 Dividi i nomi di persona e scrivi la prima lettera in maiuscolo.

giovannirosafrancescogiuseppinamarioangelaluigigiovannaangeloolmomartinacamillailaria
danielefabiodariovaleriolauralucasilviarobertafedericomarcellaclaudiomaddalenaamletoelena

es. Giovanni, Rosa

22 `mp3 T57` Ascolta e metti le parole nella tabella in base all'accento.

1 tecnico   5 Bologna   9 menu   13 prendere   17 marocchino
2 inglese   6 papà   10 subito   14 bella   18 amica
3 cioè   7 patate   11 favore   15 festeggiata 19 giovane
4 eccolo   8 così   12 Argentina 16 abita

Parole con accento sulla terzultima sillaba |•••|	Parole con accento sulla penultima sillaba |•••|	Parole con accento sull'ultima sillaba |••|
tecnico	inglese	cioè

Comprensione orale

1 a **mp3 T58** Ascolta la conversazione: dove sono le persone?

1 ☐ al telefono   2 ☐ in albergo   3 ☐ in banca   4 ☐ in posta   5 ☐ al ristorante

1 b **mp3 T58** Riascolta e scrivi quali informazioni chiedono le due persone.

1 _____   2 _____

_____   _____

_____   _____

_____   _____

2 a **mp3 T59** Ascolta i dialoghi. Completa la tabella.

	Dialogo 1	Dialogo 2	Dialogo 3
Dove si svolge la conversazione?			

2 b **mp3 T59** Che cosa vogliono le clienti? Scegli le risposte giuste e scrivi il numero del dialogo come nell'esempio.

le clienti vogliono	dialogo	le clienti vogliono	dialogo
a comprare dei francobolli	2	e comprare delle cartoline e delle buste	
b spedire una lettera		f fare una prenotazione	
c fare un fax		g avere la sveglia	
d cambiare yen in euro		h comprare un biglietto	

Comprensione scritta

3 a Leggi le presentazioni degli alberghi a p. 11 e completa la tabella.

Quale albergo?	Hotel dei Tigli	Hotel Le Palme	Grand Hotel Olympic	Grand Hotel Ischia Lido
È in centro città.				
È vicino alla spiaggia.				
È vicino a una pineta.				
È aperto tutto l'anno.				
In quale albergo?				
C'è la piscina.				
C'è la cassaforte in camera.				
C'è il campo da tennis.				
C'è la tv in camera.				
Ci sono le biciclette.				
Ci sono sconti per le famiglie.				

HOTEL DEI TIGLI
Lido di Camaiore
Lucca
Via Roma 222 - 55043
Tel. 0584 619616 - Fax 0584 618748
info@hoteldeitigli.it

2 persone in camera superior (clima/tv/balcone/telefono/bagno/boxdoccia/cassaforte/phon) colazione a buffet, pranzo e cena con menu a scelta (cucina internazionale curata da un noto chef), sette giorni, sconto particolare sui servizi in spiaggia, carnet sconti in negozi e centri sportivi.

Totale 929.00 €
Possibile terzo letto. Valido solo fino al 18 di luglio!! Ulteriori offerte speciali sul nostro sito
www.hoteldeitigli.it

1

Hotel Le Palme
Situato sul mare, vicino a una grande pineta, a 5 km dal centro.
- Camere nuove con balcone.
- Giardino con piscina.
- Ampio parco giochi per bambini.
- Campo da tennis.
- Servizio ristorante con colazione, pranzo e cena a buffet.
- Noleggio biciclette. Possibilità di passeggiate a cavallo nell'entroterra.

Periodi	Al giorno pensione completa
1-30 giugno	75 €
1-31 luglio	83 €
1-21 agosto	100 €

- Sconti per famiglie con due bambini.

2

Grand Hotel Olympic
★★★★
È situato nella centralissima Via Cola di Rienzo, la via che collega Piazza del Popolo e Piazza Risorgimento (Vaticano). La sua posizione unica permette di raggiungere in pochi minuti le attrazioni turistiche, i tribunali e i punti chiave dei viaggi di affari a Roma.

Prezzo a persona al giorno, in camera doppia, con prima colazione:	
dal 18/4 al 3/5	70 €
dal 4/5 al 15/6	60 €
dal 16/6 al 10/9	40 €
dal 11/9 al 18/10	60 €

3

Grand Hotel Ischia Lido ★★★★
Sorge sulla rinomata spiaggia del Lido, in un angolo suggestivo e panoramico nella tranquilla ed elegante area pedonale del centro di Ischia. Offre spiaggia privata (dal 22/6 al 7/9 su prenotazione e a pagamento), piscina esterna di acqua dolce, vasca esterna di acqua geotermica con idromassaggi, ricchissimo ristorante a buffet "all inclusive", intrattenimenti serali e miniclub dal 22/6 al 7/9. Centro benessere interno con 4 vasche di acqua geotermica. Parcheggio a pagamento su prenotazione.
Aperto tutto l'anno.

4

3b Scegli l'albergo più adatto per ogni turista.

a ☐
Il signor Jörg Baumann è in Italia per due giorni per lavoro.
Ha 41 anni e ama la comodità.
La sera gli piace passeggiare per il centro della città e frequentare i locali notturni.

b ☐
Il signor Igor Gutseva e sua moglie Maria sono russi. Hanno un figlio di 8 anni. Lui è direttore di un grande magazzino di Mosca. Vogliono fare una settimana di vacanza al mare in un bell'albergo. Sono interessati alla buona cucina e allo shopping. Non sono sportivi.

c ☐
La Signora Anne Marie Checcone è italo-americana. Ha 78 anni ed è molto ricca. Ama gli hotel lussuosi e la vita mondana. Di giorno dedica il suo tempo alla cura del corpo.

Lessico

4 In coppia. A turno leggete le parole in Appendice (p. 126). Chiedete al vostro compagno di dire lettera per lettera le parole, come nell'esempio.

es. caparra

Studente A: Scusa, come si scrive?   **Studente B:** ci a pi a erre erre a.

5a **mp3 T60** Per dire come si scrive un nome lettera per lettera si possono usare anche i nomi delle città. Ascolta e scrivi vicino a ogni lettera il nome della città.

es. ■ Hai l'e-mail di Valentina?   ● Sì, è vale-pit@iol.it
■ Come si scrive?   ● Venezia Ancona Livorno Empoli trattino Padova Imola Torino chiocciola Imola Otranto Livorno punto Imola Torino

A (a) _A come Ancona_
B (bi) _____
C (ci) _____
D (di) _D come Domodossola_
E (e) _____
F (effe) _____
G (gi) _____
H (acca) _H come hotel_
I (i) _____

J (gei/i lunga) _J come jolly_
K (cappa) _K come Kenya_
L (elle) _____
M (emme) _____
N (enne) _____
O (o) _____
P (pi) _____
Q (cu) _Q come Quarto_
R (erre) _____

S (esse) _____
T (ti) _____
U (u) _____
V (vi) _____
W (doppia vu) _W come Washington_
X (ics) _X come Xilofono_
Y (ipsilon) _Y come yacht_
Z (zeta) _Z come Zara_

5b In coppia. Chiedi al tuo compagno l'indirizzo e-mail, poi rispondi alle sue domande. Leggi gli indirizzi e-mail lettera per lettera, con i nomi di città. Lo studente A completa la scheda sotto, lo studente B va in Appendice (p.126).

Studente A

Hai l'e-mail	Risposte per Studente B
a. dell'ufficio del turismo di Ravenna? _____ **b.** della stazione dei treni di Parma? _____ **c.** dell'aeroporto di Linate? _____	a agenzia viaggi: arlecchinoviaggi@varese.com b università per stranieri: info@unistrasi.it c albergo di Napoli: hotel.laborsa@napoli.com

6 Fare i conti. Leggi ad alta voce queste operazioni e calcola il risultato.

es. 6 x 5 = 30   sei **per** cinque **fa** trenta
30 : 2 = 15   trenta **diviso** due **fa** quindici

15 − 5 = 10   quindici **meno** cinque **fa** dieci
10 + 8 = 18   dieci **più** otto **fa** diciotto

9 x 8 + 21 = _____
44 − 22 + 65 = _____
20 + 38 − 24 = _____
7 x 8 + 27 = _____

38 − 15 + 62 = _____
3 + 8 + 45 = _____
4 + 8 − 6 = _____
2 + 5 x 6 = _____

5 + 6 x 3 = _____
6 x 6 + 6 = _____
5 + 3 : 4 = _____
69 : 7 − 2 = _____

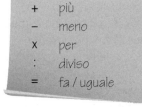

+	più
−	meno
x	per
:	diviso
=	fa / uguale

7 In coppia. Ripeti il dialogo con il tuo compagno. Completa la scheda con gli orari della sveglia e con il numero della stanza.
Lo studente A completa questa scheda, lo studente B va in Appendice (p.126).

■ È possibile avere la sveglia domani mattina?
● Sì, certo. A che ora?
■ Alle **8.40**, per favore. La mia stanza è la **22**.
● D'accordo. Buonanotte.

Studente A turista

Orari sveglia	Numero di stanza
■ 6.10	39
■ 7.15	81
■ 8.30	77
■ 7.45	37

Studente A reception

Orari sveglia	Numero di stanza
● ?	?
● ?	?
● ?	?
● ?	?

8 In coppia. Ripetete i dialoghi.

es.
■ Senta, a che ora è la colazione all'Albergo Giulietta?
● La colazione è dalle 8.15 alle 11.15.

■ E senta, a che ora è il pranzo all'Albergo Marina?
● Il pranzo è da mezzogiorno e un quarto (dalle 12.15) all'una e mezza (alle 13.30).

	Colazione	Pranzo	Cena
Albergo Marina	7.45 - 9.45	12.15 - 13.30	18.30 - 20.30
Hotel Stella	8.10 -10.10	12.05 - 14.05	19.10 - 21.10
Hotel Liguria	7.00 - 9.30	12.40 - 13.40	19.15 - 21.00

9 Completa con le preposizioni.

da … alle / dalle … alle / per / alle

1 A che ora è aperta la banca? _____ 8.15 _____ 13.30.
2 A che ora aprono i negozi? _____ 9.
3 A che ora c'è la colazione? _____ 7 _____ 10.
4 Avete una camera doppia il 7 dicembre _____ 2 notti?
5 A che ora c'è il pranzo? _____ mezzogiorno _____ 14.
6 A che ora apre la banca nel pomeriggio? _____ 13.45.

Funzioni

10 Completa i dialoghi con le parole sotto.

allora / senta / scusi / va bene / d'accordo

1 ■ Quanto costa la doppia con il bagno?
● 60 euro.
■ _____, _____ prendo una doppia per due notti.
● E… _____, ho un'altra domanda, c'è l'aria condizionata?
■ Sì, certo.

2 ■ _____, è possibile avere la sveglia in camera?

● Certamente. A che ora?
■ Alle 7.
● _____, buona serata.

3 ■ _____ , c'è un treno per Viterbo stasera?
● Sì, c'è alle 19 e alle 21. Alle 21 è diretto.
■ _____ prendo un biglietto per il treno delle 21, grazie.

11 Riordina il dialogo.

a ⊡1 Buongiorno, vorrei chiedere un'informazione.
b ⊡2 Prego, mi dica.
c ☐ Costa 440 € per 4 mesi, due ore alla settimana.
d ☐ Ok, grazie, posso fare l'iscrizione adesso?
e ☐ Quanto costa il corso di tedesco?
f ☐ Certo, mi dice il suo nome, per favore?
g ☐ Gi-o-enne-zeta-a-elle-e-zeta.
h ☐ Bene, ho capito. Ha un indirizzo e-mail?
i ☐ Mi chiamo Ana Gonzalez.
l ☐ Sì, la caparra è di 200 €.
m ☐ Scusi? Come si scrive il suo cognome?
n ☐ Un'ultima domanda: devo pagare una caparra?
o ☐ Sì, la mia e-mail è anagonz@gmail.com.
p ⊡14 Ecco a Lei. Grazie e arrivederci.
q ⊡15 Di nulla, arrivederci.

12 Scrivi le domande.

1 _____

Sì, ne abbiamo ancora una, con bagno e balcone.

2 _____

Ancona Dublino Ancona Milano; Como Otranto Otranto Palermo Empoli Roma.

3 _____

Per il 13, 14 e 15 settembre.

4 _____

70 euro a camera.

5 _____

Sì certo. A che ora?

6 _____

Un dollaro vale 0,75 €.

7 _____

Alle 20.00.

8 _____

Dalle 7.00 alle 9.00.

9 _____

Ci-acca-i-e-esse-a.

Grammatica

13 Ordina i nomi e gli aggettivi nel box giusto. Attenzione: gli aggettivi in -e (plurale -i) possono stare in due box.

> ristorante / albergo / colazione / banche / parcheggi / dollari / clienti / televisione / musei / camere / bella / grande / antichi / centrale / gentili / economico / interessanti / caotica / vecchie

	maschile singolare	maschile plurale	femminile singolare	femminile plurale
nomi	_____ _____ _____	_____ _____ _____	_____ _____ _____	_____ _____ _____
aggettivi	_grande_ _____ _____	_____ _____ _____	_grande_ _____ _____	_____ _____ _____

14 Completa.

1 Mario fa il medic_o_, lavora all'ospedal_ di Pavia.
2 A Roma ci sono molte chies_ famose.
3 La lezion_ di italiano finisce alle tre.
4 All'Università di Siena ci sono molti student_ stranieri.
5 Laura Pausini è una cantant_ italiana conosciuta nel mondo.
6 Nella mia camer_ non c'è la finestr_.
7 Oggi comincia il mio cors_ di ingles_.
8 L'edicol_ è vicino alla banc_.

15a Abbina aggettivi e nomi, poi fai l'accordo (sono possibili più soluzioni). Aggiungi l'articolo determinativo.

es. _la stanza grande_

NOMI

1 stanza
2 cartoline
3 ristoranti
4 telefono
5 viaggio
6 francobollo
7 ragazzi
8 piscina
9 banche
10 pacchi

economico   italiano   grande

bello   postale   chiuso

lungo   pesante   occupato

15b Trasforma al plurale/singolare le coppie che hai formato.

es. _le stanze grandi_

16 Descrivi il disegno a fianco. Usa la lista di aggettivi. Fai attenzione all'accordo tra il nome e l'aggettivo.

es. Il ristorante è elegante...

> lussuoso / piccolo / grande / antico / nuovo / ~~elegante~~ / caotico / centrale / caro / rumoroso

17 Ora descrivi con 2 o 3 aggettivi:

1 la tua città: _____

2 la tua casa: _____

3 la tua camera: _____

4 la tua classe: _____

18 Fai le domande come nell'esempio. Usa l'articolo corretto.

es. campeggio La Pineta → Scusi, sa dov'è **il** campeggio La Pineta?

1 Albergo Marina	5 ufficio informazioni	9 farmacia
2 ufficio postale	6 Pizzeria Capri	10 questura
3 Banca di Novara	7 Ospedale Maggiore	11 agenzia viaggi
4 chiesa di San Paolo	8 parcheggio	12 stazione

19 Completa i dialoghi con gli articoli indeterminativi *un*, *una* (vedi Unità 1).

IN ALBERGO

■ Buongiorno, mi dica.
● Buongiorno, vorrei **(1)** _____ camera matrimoniale per questa notte.
■ Abbiamo solo **(2)** _____ stanza libera, ma è **(3)** _____ doppia. Va bene lo stesso?
● Sì, va bene.
■ Per favore, può compilare questo modulo?
● Certo. Ha **(4)** _____ penna, per favore?
■ Eccola.

IN STAZIONE

■ Buongiorno, vorrei sapere se c'è **(5)** _____ treno diretto per Parigi questa mattina.
● Sì, parte alle 11, dal binario 2.
■ Bene, grazie. Allora prendo **(6)** _____ biglietto di sola andata.
● Ecco a Lei.
■ Senta, scusi, ho ancora **(7)** _____ domanda. C'è **(8)** _____ sala d'attesa nella stazione?
● Sì, è al primo piano.

IN POSTA

■ Vorrei sapere quanto costa spedire **(9)** _____ pacco in Danimarca con la posta celere.
● Fino a due chili 20,66 euro, fino a tre 23,76 euro.
■ Grazie.
■ **(10)** _____ francobollo di posta prioritaria per questa lettera, per favore.
● Per dove?
■ Per il Perù.
● 0,80 euro.

20 Todd va in posta perché deve spedire un pacco. Completa con *essere* o *avere*.

■ Buongiorno, **(1)** _____ possibile spedire un pacco?
● Certamente, ma deve aspettare un attimo perché io e il mio collega **(2)** _____ occupati. Mentre aspetta può compilare il bollettino di spedizione.
■ Va bene, grazie. **(3)** _____ una penna, per favore?
● Sì, eccola.

■ Ecco il bollettino compilato ed ecco il pacco.
● Va bene. Il pacco pesa 200 grammi; **(4)** _____ 13 euro in tutto.
■ Ecco a Lei.
● **(5)** _____ 3 euro, per favore? Non **(6)** _____ moneta.
■ Sì, certo. Senta, scusi, la posta **(7)** _____ aperta domani?
● No, di sabato questo ufficio **(8)** _____ chiuso, mi dispiace.

☀ **21** Completa con è o *c'è / ci sono*.

> *c'è* → singolare
> *ci sono* → plurale

1 Nella *mia* classe _____ una ragazza sudafricana,
   si chiama Esther. _____ in Italia per amore.

2 In questa città non _____ l'aeroporto,
   ma _____ una grande stazione dei treni.

3 Nella mia camera _____ tre letti.

4 Katrin _____ tedesca, di Berlino. Ora _____ in vacanza a Firenze.

5 La posta _____ aperta solo nei giorni feriali.

6 Il mio albergo mi piace molto, _____ in centro, ma _____ molto tranquillo.

7 A Firenze _____ molti musei.

8 Questo _____ Florian, un mio amico olandese.

9 _____ una lettera per te, _____ sul tavolo.

10 A Bergamo _____ la metropolitana?

22 Forma le frasi.

1 La traduttrice	visita	in Francia.
2 Io e Romain	mangiano	300 euro.
3 Tu	parla	una stanza d'albergo.
4 I bambini	abitiamo	all'ufficio informazioni.
5 Il corso d'italiano	telefono	quattro lingue.
6 Io	lavori	il cioccolato.
7 Voi	costa	in ufficio.
8 Il turista	prenotate	la città.

23 Trasforma le frasi al plurale (*tu* → *voi, io* → *noi, lui/lei* → *loro*).

1 Hai il passaporto? _____

2 Che cosa studi? _____

3 Dove abita il ragazzo francese? _____

4 La chiesa è bella. _____

5 La piazza è grande. _____

6 Di dove sei? _____

7 Ho il vocabolario bilingue italiano-spagnolo. _____

8 Il palazzo è antico. _____

24 In queste frasi c'è il *tu* o il *Lei*? Cambia le frasi dal *tu* al *Lei* e viceversa.

es. Scusa, hai l'ora? (tu) → Scusi, ha l'ora? (Lei)

1 Hai il numero di telefono di Paola? _____

2 Mi sa dire se la banca è aperta nel pomeriggio? _____

3 Come si chiama? _____

4 Sei stanco? _____

5 Ha un documento? _____

6 In quale albergo alloggi? _____

7 Ha una penna, per favore? _____

Pronuncia e ortografia

25 `mp3 T61` Ascolta le frasi e segna con un . (punto) se è una frase dichiarativa o con un ? (punto interrogativo) se è una frase interrogativa.

1 L'albergo si chiama Ponte ☐
2 È ancora possibile prenotare una doppia ☐
3 Prendi le chiavi in portineria ☐

4 In posta posso comprare le buste ☐
5 La banca è aperta ☐

☀ **26**a `mp3 T62` Ascolta e indica con una X le parole con il suono [p] come in *posta*.

1 ☐   2 ☐   3 ☐   4 ☐   5 ☐   6 ☐   7 ☐   8 ☐

☀ **26**b `mp3 T63` Ascolta e indica con una X le parole con il suono [b] come in *bagno*.

1 ☐   2 ☐   3 ☐   4 ☐   5 ☐   6 ☐   7 ☐   8 ☐

☀ **26**c `mp3 T64` Ascolta queste parole e indica se hanno il suono [p] o [b].

	p	b		p	b		p	b		p	b
1	☐	☐	3	☐	☐	5	☐	☐	7	☐	☐
2	☐	☐	4	☐	☐	6	☐	☐	8	☐	☐

27 Gioco. Gli scioglilingua sotto sono difficili perché ci sono molte [p] o [b]. Gioca con i tuoi compagni, ascolta le regole del gioco dall'insegnante e sciogliti la lingua!

Gruppo A

Il Papa pesa e pesta il pepe a Pisa
e Pisa pesa e pesta il pepe al Papa.

In cambio di rombo
ho preso un rimbombo.
In cambio d'imbuto
ho preso un sambuco.
In cambio di bomba
ho preso una bimba.

Gruppo B

Porta aperta per chi porta.
Chi non porta, parta pure,
poco importa.

Il buffo Bingo Bongo andò a ballare,
balla balla finì per scivolare
su una buccia di banana
buttata dalla Befana.
Bella e buona la banana se t'abbuffi,
ma che botta se ti ci tuffi.

(da www.filastrocche.it)

☀ **28**a `mp3 T65` Ascolta e completa le frasi con <p> o <pp>.

1 Non ___osso stare a ___arlare, devo ___ortare mio ___adre in ___osta.
2 S___esso per fare una ___renotazione è necessario s___edire una ca___arra.
3 A___ena ti sei ___re___arato ___uoi ___assare in ___ortineria a ___rendere le chiavi?
4 È ___ossibile ___renotare una camera do___ia?
5 Mi chiamo ___u___i: ___i-u-do___ia-___i-i.

☀ **28**b `mp3 T66` Ascolta e completa le frasi con <b> o <bb>.

1 Devo parlare con i cara___inieri. Mi hanno ru___ato la ___orsa!
2 In ___anca mi potre___ero cam___iare i ___iglietti da 10 euro?
3 L'al___ergo si chiama Don A___ondio.
4 Il ___ar di ___occaleone è stato molto a___ellito.
5 A___iamo ___isogno di una camera. Ne avete una li___era?

Unità 03 Che cosa fai oggi?

Comprensione orale

1 **mp3 T67** Ascolta queste interviste, poi rispondi alle domande.

1 Dove si trovano questi ragazzi?
  a Fuori da una scuola.
  b Fuori da un centro commerciale.
  c Dentro un liceo scientifico.

2 La prima ragazza (Giulia)
  a ha 16 anni.
  b ha 17 anni.
  c ha 15 anni.

3 Giulia
  a va sempre al bar con gli amici.
  b qualche volta va a fare shopping.
  c non ha tempo per studiare.

4 Giulia
  a non fa sport.
  b gioca a a calcio.
  c gioca a pallavolo.

5 La seconda ragazza (Francesca)
  a non ama ballare.
  b va al parco con il suo cane.
  c studia molto.

6 Marco
  a è il più giovane.
  b ha la stessa età delle due ragazze.
  c è il più vecchio.

7 Marco
  a gioca a calcio con gli amici due sere alla settimana.
  b gioca sempre a calcio la domenica.
  c gioca a calcio tutti i giorni.

8 Chi fa più sport?
  Chi studia di più?
  Chi esce più spesso con gli amici?

Comprensione scritta

2 Leggi i testi e associa ogni persona al suo corso ideale.

a Marco e Laura vivono insieme, lui insegna in una scuola, lei lavora in un ufficio. La mattina fanno colazione insieme e poi vanno al lavoro. Alle 13.30 Marco ritorna a casa, pranza con un panino perché non sa cucinare, corregge i compiti e poi fa un po' di sport: va a correre oppure a giocare a tennis. Quando Laura torna dal lavoro alle 18.30 non trova nessuno e deve sempre cucinare. Laura dice che Marco deve imparare a cucinare, Marco dice che Laura deve imparare a fare qualche sport.

b Tonino è un nonno di 60 anni, ma è ancora molto attivo: collabora con molte associazioni di volontariato, si occupa degli animali abbandonati e una volta la settimana fa servizio alla Croce Rossa. Sua moglie ha una passione per il ballo, ma Tonino non sa ballare. Perciò d'estate, quando vanno insieme alle feste di paese con i loro amici, lui si annoia sempre e finisce la serata ad aspettare che la moglie si stanchi di ballare.

c Marcella ha 40 anni, è sposata, ha due figli e un cane. Da quando è nata Valeria, Marcella non lavora più e si dedica alla famiglia. Di solito esce verso le undici a bere un caffè con le sue amiche oppure va in palestra per tenersi in forma. Ultimamente ha molto tempo libero: i bambini sono a scuola e a casa si sente sola, per questo vuole cercare un lavoro, solo per mezza giornata.

1
Corso di ballo liscio
Walzer e polka
Per principianti
Insegnante: Marta Vavassori

Per informazioni: 043-980675
oppure walzer@tin.it

2
**Corso base
di cucina tradizionale**

Il martedì dal 7 novembre.
L'iscrizione è obbligatoria.
Telefonare allo 02-6754967

3
Inizia a novembre il
**CORSO DI
CHITARRA RITMICA**

Informazioni e iscrizioni:
335-6854262
Centro Universitario Teatrale

4
Milanotech
organizza corsi per principianti,
ambiente Windows: video
scrittura (Word), Excel, Access.
È possibile richiedere corsi
individuali ad ogni ora del giorno.

Per informazioni telefonare allo
02-35856098

5
Corso avanzato di cucina
CUCINA ETNICA
• Greca   • Giapponese
• Cinese   • Araba
Per informazioni telefonare a Marina
Bettinelli tel: 0345-686759

6
La palestrina organizza
**Corsi di tennis
per principianti**
Iscriviti telefonando o inviando
un'e-mail a vittycarta@yahoo.it,
06-96754321

▌Lessico

3   Leggi gli avvisi seguenti e completa con le parti del giorno
e l'articolo.

1   Il negozio di lunedì è aperto solo _il pomeriggio_ dalle 15.30
alle 19.30.

2   Le farmacie aperte _____ dalle 22
alle 6.00 sono: Farmacia Zecchi, via Carpinoni 6, e Farmacia Giudici,
viale Repubblica 7.

3   Il martedì la Pizzeria da Mimmo è chiusa _____
per riposo settimanale. È aperta solo _____
per il pranzo.

4   La Bottega del pane per la vigilia di Natale è aperta solo
_____ (dalle 9.30 alle 12.30), ma non
_____ .

4   **mp3 T68** Ascolta. Quando queste persone fanno queste azioni?

1   fare la spesa e le pulizie.   2   andare dalla parrucchiera   3   andare a cena fuori   4   andare in palestra

_____   _____   _____   _____

_____   _____   _____   _____

5 Guarda la tabella. Scrivi quanto spesso Luigi fa queste attività.

sempre / spesso / di solito / qualche volta / non … mai / una / due / tre volte la settimana

1 fare la doccia   *Luigi fa sempre la doccia la mattina.*

2 giocare a tennis   *Luigi gioca a tennis due volte la settimana.*

3 cenare a casa   _____

4 fare colazione al bar   _____

5 andare in piscina   _____

6 uscire con gli amici   _____

lunedì	martedì	mercoledì	giovedì	venerdì	sabato	domenica

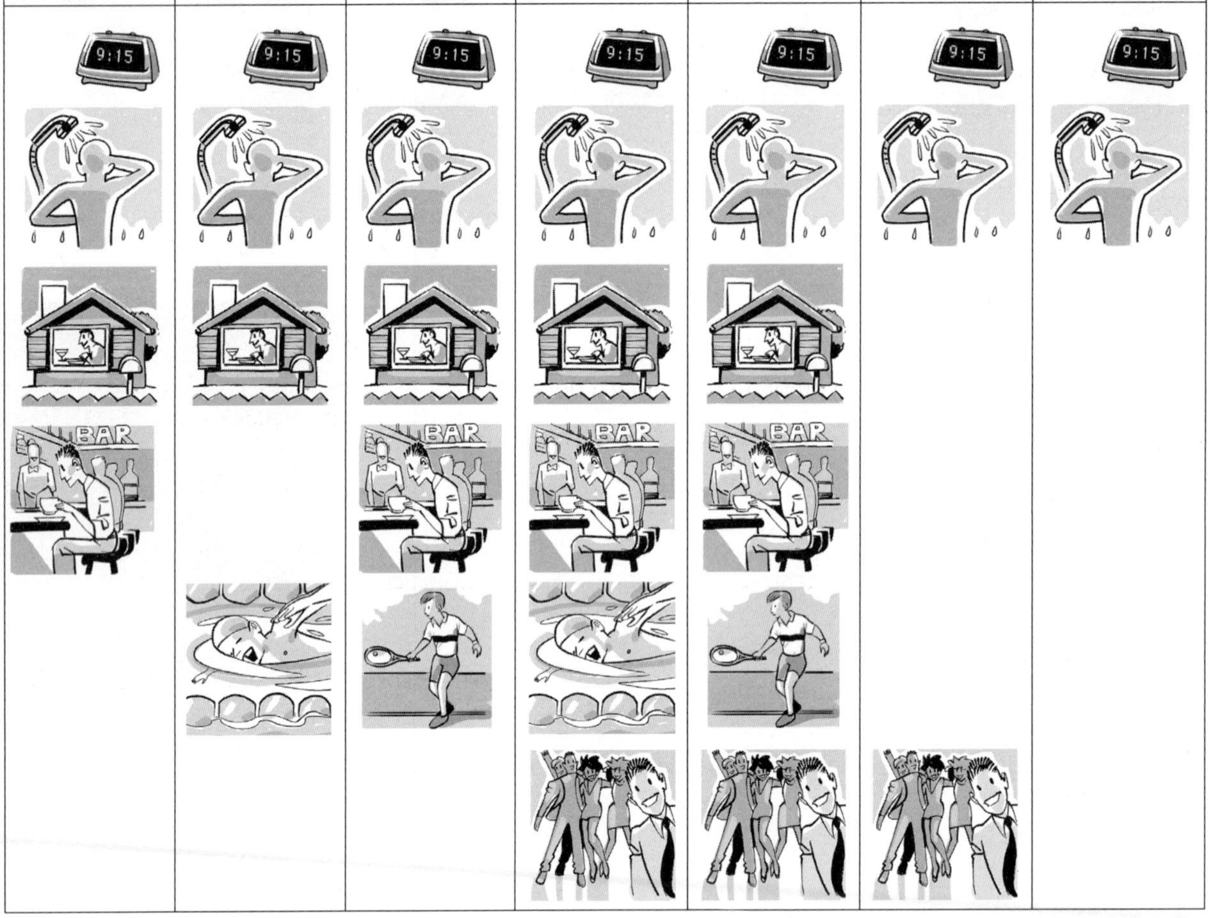

6 Aggiungi al verbo *fare* il nome giusto.

1 Si fa tutte le mattine prima di andare al lavoro.
2 Si fa per riempire il frigorifero.
3 Meglio farla una volta al giorno, soprattutto d'estate.
4 Si fanno una volta la settimana per pulire bene la casa.
5 Si fa per tenersi in forma.
6 Si fa in piscina.

_____ ← 1   4 → *Le* _____

La _____ ← 2   **FARE**   5 → _____

La _____ ← 3   6 → _____

7 Cerca 8 parole che indicano i luoghi del tempo libero.

P	A	L	E	S	T	R	A	G	L	B
M	P	C	I	N	E	M	A	I	P	I
U	I	L	M	X	Q	O	B	E	I	B
S	S	X	F	W	E	L	G	F	Z	L
E	C	M	E	S	I	R	C	A	Z	I
O	I	K	U	O	C	H	A	O	E	O
B	N	N	T	V	E	R	B	A	R	T
B	A	E	T	E	A	T	R	O	I	E
H	C	S	T	A	D	I	O	G	A	C
A	D	I	S	C	O	T	E	C	A	A

Funzioni

8 Associa domande e risposte.

1 ☐ Hai voglia di venire al cinema stasera? Danno l'ultimo film di Tornatore.

2 ☐ Oggi iniziano i saldi, io vado al centro commerciale alle tre, vuoi venire con me?

3 ☐ Peppino, come stai? Dai, vieni a giocare a bocce con me e Tonino!

4 ☐ Che cosa ne diresti di andare a fare un giro in centro stasera?

5 ☐ Perché non andiamo a mangiare una pizza insieme stasera?

6 ☐ Vuoi venire con me al mare questo fine settimana?

a Mi dispiace ma devo aspettare mia moglie; magari vengo più tardi.

b Dai! Che bello! Ho proprio voglia di fare un bagno.

c I film italiani non mi piacciono molto. Perché invece non andiamo al bowling?

d No, stasera abbiamo ospiti a casa. Facciamo domani sera?

e Volentieri, anch'io devo comprarmi un maglione nuovo.

f Va bene, si può fare. Andiamo in macchina o a piedi?

9 Riordina il dialogo.

a ☐1 **Paola:** Pronto?

b ☐ **Giulio:** Mi dispiace tanto, ma ho già i biglietti per stasera. Se cambi idea, telefonami entro le 8. Comunque, per la pizza possiamo trovarci domani sera.

c ☐ **Paola:** Non so ancora. Vorrei andare al cinema, ma non so se c'è un bel film.

d ☐ **Giulio:** D'accordo. A domani, ciao.

e ☐ **Giulio:** E allora, perché non vieni al concerto di Biagio Antonacci con me e Sara?

f ☐ **Paola:** Va bene, allora ci sentiamo domani. Ciao e buon divertimento!

g ☐ **Giulio:** Pronto, Paola? Ciao, sono Giulio. Senti, che cosa fai stasera?

h ☐ **Paola:** Veramente non mi piacciono i cantanti italiani, lo sai che preferisco la musica rock! Che ne dici invece di uscire tutti insieme a mangiare una pizza e poi di andare a bere qualcosa nel nuovo bar vicino a casa mia?

Grammatica

10 Usa le forme del presente.

es. Mio marito parte da casa alle 6.30 e arriva in stazione alle 7. (*io, noi, Marco e Carla*)

IO *Io parto* da casa alle 6.30 e *arrivo* in stazione alle 7.
NOI *Noi partiamo* da casa alle 6.30 e *arriviamo* in stazione alle 7.
MARCO E CARLA *Marco e Carla partono* da casa alle 6.30 e *arrivano* in stazione alle 7.

1 Arrivo a Milano alle 8, poi prendo la metropolitana e comincio a lavorare alle 8.30. (*Giulia, voi, tu*)
2 Ho una pausa pranzo all'1, mangio solitamente con i colleghi nella mensa aziendale. (*Luisa, i miei amici, tu*)
3 Finisco di lavorare alle 5 e mezzo, riprendo il treno, arrivo a casa alle 7 e sono molto stanco. (*Sandro, voi, noi*)
4 Lavoro dalle 9 alle 4 come commessa in una libreria. (*tu, lui, Carla e Paola*)
5 Vivo in periferia e per andare in centro prendo l'autobus. (*voi, Carla, loro*)

11 Completa la storia con i verbi al presente.

1 Francesca e Michele _____ (*darsi*) appuntamento per le 9 di sera.

2 Lei _____ (*truccarsi*) con il rossetto.
3 Lui _____ (*vestirsi*) elegantemente.

4 Lei _____ (*pettinarsi*).
5 Lui _____ (*rallegrarsi*) per l'incontro con Francesca.

6 Lei _____ (*affrettarsi*) perché è in ritardo.
7 Lui aspetta davanti al bar e _____ (*arrabbiarsi*).

8 Adesso Francesca arriva e _____ (*scusarsi*). 9 Alla fine fanno la pace e _____ (*baciarsi*).

12 Completa le frasi con il presente dei verbi irregolari.

1 Marco non _____ (*andare*) mai allo stadio.

2 A cena i nostri genitori _____ (*bere*) vino.

3 I nostri amici _____ (*dire*) che viviamo in una bella casa.

4 Stasera _____ (*io, fare*) un giro in centro.

5 Mia moglie _____ (*fare*) la spesa il sabato mattina.

6 Gianna _____ (*rimanere*) a lavorare fino alle cinque, io invece _____
(*rimanere*) fino alle sette.

7 I miei figli _____ (*uscire*) sempre la domenica pomeriggio.

8 Se andate a teatro, _____ (*venire*) anch'io.

9 Domani pomeriggio _____ (*noi, volere*) andare al nuovo centro commerciale.

10 I nostri cugini _____ (*venire*) a trovarci quando _____ (*potere*).

13 Completa il racconto di Leila al presente. Scegli tra i verbi sotto.

andare / venire / vivere / preparare / fare / uscire / cucinare / tornare / lavorare

(1) _____ da Marrakech e (2) _____ in Italia da due anni. La mia vita qui è
molto tranquilla, (3) _____ poco di casa e mi occupo della mia famiglia. La mattina
(4) _____ le pulizie e (5) _____:
di solito (6) _____ piatti del nostro Paese, oppure
la pastasciutta.
I miei bambini invece (7) _____ a scuola
e mio marito (8) _____ al porto.
Tutti (9) _____ a casa per pranzo, verso l'una
e mezza.

14 Completa i verbi al presente e indovina di quale professione si parla.

1 (*lavorare*) <u>Lavora</u> di notte e _____ (*dormire*) di giorno. _____
(*stare*) in luoghi molto "caldi". Il frutto del suo lavoro _____ (*trovarsi*) tutti
i giorni sulla tavola degli italiani, a volte _____ (*fare*) anche la pizza.
Chi è? _____

2 A volte _____ (*lavorare*) di notte, altre volte di giorno. _____
(*vestirsi*) di bianco ed _____ (*essere*) sempre molto pulita. _____
(*curare*) le persone che sono ammalate.
Chi è? _____

3 Il suo giorno di lavoro _____ (*essere*) spesso la domenica. _____
(*guadagnare*) molti soldi e _____ (*fare*) un lavoro che è un gioco.
_____ (*vestirsi*) con i colori della sua squadra e se _____ (*perdere*)
i tifosi _____ (*arrabbiarsi*) molto.
Chi è? _____

4 _____ (*spostarsi*) sempre per lavoro. _____ (*essere*) molto alta
e magra. _____ (*mangiare*) poco e _____ (*fare*) molto sport per
essere sempre in forma. _____ (*provare*) e _____ (*cambiare*) tanti
vestiti in un giorno. Oggi _____ (*andare*) a un défilé a Parigi.
Chi è? _____

☀ **15** Leggi il calendario di Roberta e rispondi alle domande come nell'esempio.

APRILE

1	Lunedì	Corso informatica (17-19), I lezione
2	Martedì	
3	Mercoledì	Corso informatica, II
4	Giovedì	Piscina (18-19), I lezione
5	Venerdì	I° appuntamento con Luca ♥
6	Sabato	Rossana, ore 20 circa
7	Domenica	Gita in montagna
8	Lunedì	Corso informatica, III
9	Martedì	
10	Mercoledì	Corso informatica, IV
11	Giovedì	Piscina
12	Venerdì	Cena con Luca ♥
13	Sabato	Sabrina parte per Dublino ☹
14	Domenica	
15	Lunedì	Corso informatica (test) V
16	Martedì	Compleanno di Anna (18!)
17	Mercoledì	Corso informatica, VI
18	Giovedì	Piscina
19	Venerdì	Luca ♥
20	Sabato	MATRIMONIO LORENZO E ANNA!
21	Domenica	
22	**Lunedì**	Corso informatica, VII
23	Martedì	
24	Mercoledì	Corso informatica, VIII
25	Giovedì	Mare ☺
26	Venerdì	Mare ☺
27	Sabato	Mare ☺
28	Domenica	Mare ☺
29	Lunedì	
30	Martedì	

> **es.** ■ **Da quando** Roberta va in piscina?
> ● Dal 4 aprile. (INIZIO)
> ■ Oggi è il 18 aprile. **Da quanto tempo** Roberta va in piscina?
> ● Da due settimane. (DURATA)

Oggi è il 28 aprile!

1 Da quanto tempo Roberta va al corso di informatica?
_____

2 Da quando Roberta è al mare?
_____

3 Da quando Sabrina è in Irlanda?
_____

4 Da quanto tempo Lorenzo e Anna sono sposati?
_____

5 Da quando Roberta esce con Luca?
_____

6 Da quanto tempo Anna ha 18 anni?
_____

16 Completa con *da*, *dal*, *dalle* o *alle*.

1 Mario vive a Londra _____ cinque anni.
2 Anna vive in Italia _____ 4 aprile.
3 Mario e Lucia si incontrano davanti al cinema _____ 16.00.
4 Roberta studia tedesco _____ 3 anni.
5 Michele aspetta Francesca _____ due ore!
6 Roberta va al corso di informatica _____ 17.00 _____ 19.00.
7 Simona lavora _____ 18 aprile.
8 Sono in casa _____ 20.00 in poi.
9 Abito a Milano _____ 2003.
10 Ho un appuntamento dal dottore _____ 11.00.

17 Completa con gli aggettivi possessivi.

Oggetto: Dublino

Ciao Roby!!!!

Come stai? Io benissimo. Sono finalmente arrivata a Dublino per l'Erasmus. La città è fantastica, il tempo è bellissimo e i dublinesi sono davvero simpatici.

<u>La mia</u> nuova casa (per questi sei mesi) è a Sandymount, un bel quartiere vicino al mare, ma non vicino agli autobus che portano in centro, quindi devo camminare tantissimo e **(1)** _____ piedi, devo dire, sono un po' stanchi. **(2)** _____ università è proprio in centro, anche il campus è in centro ma io preferisco vivere fuori da sola. Ieri **(3)** _____ nuovo vicino di casa mi ha invitato per una cena: è molto simpatico e con **(4)** _____ figli mi sono divertita molto. Sean (questo è **(5)** _____ nome) ha anche una gatta che si chiama Fluffer. E tu? Come vanno **(6)** _____ studi? Stai preparando gli esami? E **(7)** _____ avventure amorose? Raccontami tutto!

Ciao

Sabri

18 Completa con gli articoli determinativi (D) o indeterminativi (I).

Quando viaggio porto sempre con me **(1)** _____ (I) guida turistica e **(2)** _____ (I) libro da leggere prima di dormire. Per questo porto sempre anche **(3)** _____ (D) occhiali da lettura. Quando sono in vacanza non ho mai **(4)** _____ (I) orologio con me. Nella mia valigia ci sono sempre **(5)** _____ (D) scarpe da ginnastica, le magliette sportive e **(6)** _____ (I) palla ovale, così posso sempre giocare con **(7)** _____ (D) amici (se troviamo **(8)** _____ (I) spazio grande).

Per prima cosa metto sempre in valigia **(9)** _____ (D) fotocopia del passaporto: è molto utile se per caso perdi **(10)** _____ (D) zaino. Non dimentico mai di portare **(11)** _____ (I) specchio e **(12)** _____ (D) spazzola per **(13)** _____ (D) capelli. Naturalmente porto sempre anche **(14)** _____ (D) spazzolino da denti. Ma le cose più importanti per me sono **(15)** _____ (D) lettore mp3 per ascoltare **(16)** _____ (D) musica e **(17)** _____ (D) cellulare per mandare **(18)** _____ (D) fotografie alle mie amiche.

Porto sempre con me **(19)** _____ (I) maglione pesante e **(20)** _____ (I) giacca a vento perché non voglio avere freddo quando viaggio. Mi piace molto **(21)** _____ (D) arte e fare sport in vacanza. Per questo porto sempre con me **(22)** _____ (D) macchina fotografica e spesso anche **(23)** _____ (I) racchetta da tennis. Non lascio mai a casa **(24)** _____ (D) telefonino. Quando sono in vacanza mi sostituisce **(25)** _____ (I) amica. Anche lei è **(26)** _____ (I) brava dentista. Nella mia borsa ci sono sempre anche **(27)** _____ (D) antibiotico e **(28)** _____ (D) disinfettante.

Pronuncia e ortografia

19 mp3 T69 Ascolta queste parole. Indica con una X le parole con il suono [r] come in *Roma*.

1 ☐   2 ☐   3 ☐   4 ☐   5 ☐   6 ☐

20 mp3 T70 Ascolta questi nomi di persona e indica con una X le parole con il suono [l] come in *Lucia*.

1 ☐   2 ☐   3 ☐   4 ☐   5 ☐   6 ☐

⛅ **21** `mp3 71` Ascolta queste coppie di parole. Scrivi + se senti il suono [r] e – se senti il suono [l].

1 ☐☐   3 ☐☐   5 ☐☐   7 ☐☐
2 ☐☐   4 ☐☐   6 ☐☐   8 ☐☐

⛅ **22** In gruppi. Vince chi scrive in 5 minuti più verbi che indicano azioni quotidiane. I verbi devono contenere due *r* (*riposarsi*) o una *r* e una *l* (*lavare*).

_____
_____
_____
_____

23 `mp3 T72` Ascolta queste parole e scrivi X quando senti [ʎ] come in *figlio*.

1	2	3	4	5	6	7	8	9	10	11	12
	X										

24 In coppia. Gioco. Vince chi trova per primo le parole che contengono la lettera </> come in *scuola*, la lettera <r> come in *corso* o <gl> come in *figlio*.

1 Il giorno della settimana che inizia con </>: _____.
2 Due numeri da 1 a 10 con la lettera <r>: _____.
3 Il contrario di "freddo": _____.
4 Il marito e la _____.
5 Un locale dove gli italiani escono spesso a mangiare la pizza: _____.
6 La prima persona del verbo volere: _____.
7 Il contrario di "mai": _____.
8 Di notte c'è la luna, di giorno c'è il _____.
9 Si porta con i jeans: la _____.
10 Lo sport preferito dagli italiani: _____.

filo

figlio

⛅ **25** `mp3 T73` Ascolta le frasi e completa con <r>, <rr>, </>, <ll>, <gl>.

1 Mio ma__ito si a__za a__e 6 pe__ché deve esse__e in stazione a__e 7: p__ende il t__eno e va a lavorare a Mi__ano.
2 Io sono mo__to spo__tivo: vado semp__e a co__ere dopo il __avoro e due vo__te a__a settimana gioco a pa__one in una squad__a.
3 Devo po__ta__e mia fi__ia a studia__e con __a sua amica Giu__ia ve__so le t__e.
4 Domani se__a vado con le mie co__eghe a ba__are in una nuova discoteca. Sa__à una be__a se__ata.
5 Non ho vo__ia di anda__e con Ma__ia in pa__estra: __ei pa__te a__e quatt__o e __itorna a__e 7.

Comprensione

1 a 〔mp3〕〔T74〕 **Ascolto 1. Scegli la risposta giusta.**

1 Chiara e Silvia
   a sono amiche.
   b sono colleghe di lavoro.
   c sono compagne di scuola.

2 Silvia chiama
   a dall'ufficio.
   b da casa.
   c dal negozio.

3 Silvia vuole cucinare
   a dei biscotti.
   b un budino.
   c una torta.

1 b 〔mp3〕〔T74〕 **Ascolto 2. Segna con una croce gli ingredienti che senti.**

☐ il burro   ☐ il sale   ☐ le uova   ☐ gli amaretti   ☐ la farina

☐ le mele   ☐ il cioccolato   ☐ le pesche   ☐ la marmellata

2 a 〔mp3〕〔T75〕 **Ascolto 1. La dottoressa Susanna Angelici parla delle abitudini alimentari degli italiani. Scegli le risposte giuste.**

1 Secondo il sondaggio il modo di mangiare degli italiani è
   a migliorato.
   b peggiorato.
   c rimasto uguale.

2 I cibi della dieta mediterranea sono
   a pasta e riso.
   b pesce e carne.
   c latte e formaggi.
   d frutta e verdura.

3 I ragazzi
   a mangiano poca verdura.
   b mangiano molta verdura.
   c non mangiano verdura.

4 Il pasto principale per gli italiani è
   a la colazione.
   b il pranzo.
   c la cena.

2 b 〔mp3〕〔T75〕 **Ascolto 2. Completa la tabella.**

adulti	bambini	abitudini positive
Il (1) _____ % mangia a casa.	Tra i 3 e i 5 anni il (3) _____ % mangia fuori casa.	Il (5) _____ % controlla il peso.
Il (2) _____ % mangia in mensa.	Tra i 6 e i 10 anni il (4) _____ % mangia fuori casa.	Il (6) _____ % controlla la qualità dei cibi.

3a Leggi il testo.

Il rito dell'aperitivo

L'aperitivo era lo <u>spuntino</u> del tardo pomeriggio, ma oggi è diventato un vero e proprio pasto della sera. Nel Nord Italia, in particolare, è un appuntamento importante, anche se il modo di prendere l'aperitivo cambia da regione a regione.
Inizialmente l'aperitivo serviva a far venire <u>appetito</u> bevendo qualcosa di aromatico (la parola aperitivo, dal latino *aperire*, significa "aprire, iniziare").
Poi alla bevanda si sono aggiunti i <u>salatini</u>, le verdure sott'olio, le pizzette...
Negli ultimi anni, soprattutto

nelle grandi città del Nord, dopo il lavoro la gente si trova nei locali alla moda o nelle grandi piazze a bere cocktail alcolici con <u>stuzzichini</u> che sono dei veri e propri pasti; si racconta la giornata, si scherza e così la cena è sostituita dall'aperitivo.
La capitale dell'aperitivo è Milano, dove si chiama *happy hour*. In effetti l'aperitivo dura più di un'ora e ci sono ricchi buffet con le pizze, le verdure fritte, l'insalata, la pasta fredda o calda.
Nel Nord-Est l'aperitivo si chiama invece *spritz*. La parola in origine indicava il vino allungato con l'acqua. Oggi lo

spritz ha tante varianti (liscio, con i liquori, con il succo di limone...) e si beve sempre con qualche stuzzichino.
In Piemonte invece l'aperitivo si chiama *merenda sinoira*, una tradizione contadina con i salumi, i formaggi e il vino che oggi si mangia anche nei locali più di tendenza.
L'aperitivo nasce insomma nella Pianura Padana, mentre al Centro e al Sud non è così diffuso: i locali che iniziano a proporre questa moda infatti riprendono le abitudini del Nord.

(adattato da www.barilla.it)

3b Vero o falso?

	V	F
1 L'aperitivo si prende di solito prima della cena.	☐	☐
2 L'aperitivo, come bevanda, è una tradizione antica.	☐	☐
3 La tradizione dell'aperitivo non è cambiata.	☐	☐
4 Di solito prima di cena le persone bevono solo qualcosa.	☐	☐
5 In tutta Italia si prende l'aperitivo nello stesso modo.	☐	☐
6 La tradizione dell'aperitivo nasce nel Nord Italia.	☐	☐

3c Abbina le parole sottolineate nel testo alle definizioni.

1 ☐ spuntino
2 ☐ appetito
3 ☐ salatino
4 ☐ stuzzichino

a piccolo biscotto salato
b piccolo pasto prima del pranzo o della cena
c fame
d piccola quantità di cibo che serve a far venire fame

Lessico

4 Completa le frasi e il cruciverba con i nomi della frutta e della verdura nel cesto.

peperoni · limoni · fragole

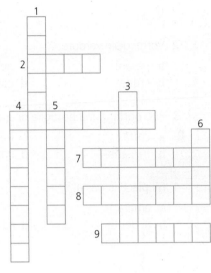

ORIZZONTALI

2 Adamo ha dato una _____ a Eva.
4 Puoi fare la peperonata con i _____ rossi, gialli e verdi.
7 Io come dolce prendo le _____ con il gelato.
8 Come bevanda mi piace molto la spremuta d'_____ .
9 Vorrei un'insalata con le _____ e i pomodori.

VERTICALI

1 Nel tè vuoi il latte o il _____ ?
3 Mi può portare un' _____ mista, per favore?
4 La pizza napoletana è con la salsa di _____ e il basilico.
5 Preferisci le _____ arrosto o fritte?
6 La _____ è un frutto di forma allungata che si può mangiare con il formaggio.

5 Guarda la spesa di Lorena e completa.

un trancio / un litro / un pezzo / sei bottiglie / un pacco / due etti / un chilo

Per il pranzo di domenica Lorena ha comprato

1 _____ di pane.
2 _____ di prosciutto cotto.
3 _____ di formaggio.
4 _____ di acqua naturale.
5 _____ di riso.
6 _____ di latte.
7 _____ di pesce spada.

6 Trova l'intruso.

1 Mi potrebbe portare delle patate...?

  a arrosto   c piccanti
  b lesse   d fritte

2 Vorrei delle verdure...

  a pesanti.   c grigliate.
  b crude.   d cotte.

3 Può portare una bottiglia di acqua..., per favore?

  a cotta   c fresca
  b frizzante   d naturale

4 Mi piace la pasta...

  a amara.   c fredda.
  b al dente.   d ripiena.

5 Prendi il tè...?

  a freddo   c frizzante
  b caldo   d dolce

6 Vorrei una cioccolata..., per favore.

  a dolce   c amara
  b salata   d calda

7 Questo pesce è...

  a dolce.   c buono.
  b saporito.   d delizioso.

8 Preferisco i cibi...

  a dolci.   c piccanti.
  b salati.   d pesanti.

7 *Con* o *senza?* Completa i dialoghi.

■ Ecco la cioccolata, la vuoi con o senza <u>zucchero</u>?
● Con (lo) <u>zucchero</u>, un cucchiaino, grazie.

1 ■ Marta, come ti piace il tè, con o senza
    _____ ?
  ● _____, perché mi piace scuro.

2 ■ Signorina, vuole il gelato con o senza
    _____ ?
  ● _____, perché sono a dieta.

3 ■ Preferisce l'aranciata con o senza
    _____ ?
  ● _____, grazie, oggi fa molto
    caldo!

4 ■ Marco, per colazione vuoi il latte con o senza
    _____ ?
  ● _____, grazie mamma.

5 ■ Signore, desidera il caffè con o senza
    _____ ?
  ● _____, per favore, macchiato caldo.

8 Metti in ordine i piatti di questo menu. Poi metti gli articoli determinativi.

~~pasta alla carbonara~~	insalata mista	gnocchi al pomodoro	carote al burro
risotto ai funghi	fragole con gelato	ravioli ai formaggi	crostata al cioccolato
bistecca alla griglia	strudel di mele	verdure grigliate	bistecca di vitello
pesce lesso	arrosto di maiale	pomodori al forno	tiramisù

1 PRIMI

_____

la pasta alla carbonara _____

_____

2 CONTORNI

_____

_____

_____

3 SECONDI

_____

_____

_____

4 DOLCI

_____

_____

_____

9 Abbina le espressioni alle immagini, poi completa.

a ☐ Avere fame.   c ☐ Avere sete.   e ☐ Avere freddo.
b ☐ Avere sonno.   d ☐ Avere caldo.   f ☐ Avere paura.

 1
 2
 3
 4

 5
 6

1 A pranzo non ho mangiato e adesso
_____! Mi prepari un panino?

2 I bambini _____ del buio e dei
fantasmi.

3 Maria, non _____? La tua giacca è
troppo leggera!

4 Posso avere un bicchiere d'acqua? Ho fatto ginnastica
e adesso _____!

5 Oggi il sole scotta! Non _____ (voi)?
Io vado a fare un bagno in piscina, venite?

6 Ieri notte non abbiamo dormito e adesso
_____.

Funzioni

10 mp3 **T76** Riordina il dialogo tra due clienti e un cameriere. Poi ascolta e controlla.

a ☐ Bene, allora io prendo il pesce spada.

b 13 E per contorno?

c ☐ Va bene, grazie. Possiamo avere il menu, per favore?

d ☐ E per Lei?

e 2 Buongiorno. Avete un tavolo libero?

f ☐ Grazie a voi.

g ☐ Siamo in due.

h ☐ Questo tavolo va bene?

i 16 Io prendo invece la carne, una grigliata mista con le patate fritte.

l ☐ Mah, la nostra specialità è il pesce alla griglia, ma abbiamo anche dei buoni piatti di carne.

m ☐ Sì, certo. Lo porto subito.

n ☐ E da bere?

o ☐ Che pesce alla griglia avete?

p 8 Lei cosa ci consiglia?

q ☐ Un'insalata con pomodori.

r ☐ Per quante persone?

s ☐ Un litro di vino bianco e una bottiglia di minerale, grazie.

t ☐ Mah, ce ne sono diversi: il pesce spada, l'orata, la spigola...

u 1 Buongiorno, signori.

11 mp3 **T77** Abbina la funzione al dialogo (per ogni dialogo sono possibili più funzioni).

Dialogo 1
_____

Dialogo 2
_____

Dialogo 3
_____

Dialogo 4
_____

a chiedere di portare qualcosa

b chiedere come pagare

c attirare l'attenzione del cameriere

d chiedere il conto

e ringraziare

f dire dove si è bevuto

12 Abbina funzione e frase.

1 ☐ chiedere se si desidera qualcosa
2 ☐ fare un brindisi
3 ☐ chiedere di ripetere
4 ☐ chiedere che cosa significa una parola
5 ☐ ordinare un piatto
6 ☐ chiedere informazioni su un piatto
7 ☐ parlare dei propri gusti
8 ☐ chiedere come pagare
9 ☐ chiedere un tavolo

a Scusi, com'è il fegato alla veneziana?

b Alla salute!

c Io prendo la pasta con le verdure.

d Hai voglia di una pizza?

e Possiamo pagare con la carta di credito?

f Scusi, può ripetere, per favore?

g Mi piace molto il pesce, ma mangio poca carne.

h Avete un tavolo per tre persone?

i Che cosa vuol dire "agnello"?

13 Fai la domanda giusta (sono possibili più domande).

1 _____? No, preferisco il vino rosso.

2 _____? Il tiramisù è un dolce con il caffè.

3 _____? Certo. Porto subito il menu.

4 _____? Abbiamo solo un tavolo per fumatori libero.

5 _____? No, stasera non ho voglia di pizza. Magari domani.

6 _____? Come primo vorrei degli spaghetti allo scoglio.

7 _____? Un'aranciata amara, grazie.

8 _____? Certo, iniziamo con i primi. Per Lei, signore?

Grammatica

14 Leggi la ricetta del tiramisù, scrivi i verbi sottolineati sotto le immagini corrispondenti e riscrivi la ricetta all'imperativo (*voi*).

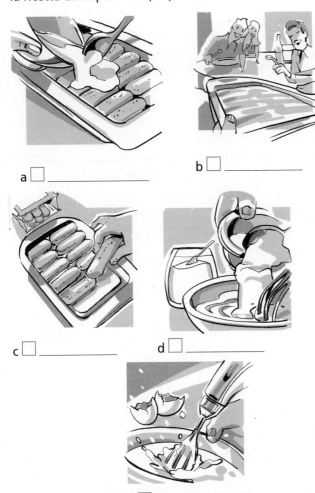

a ☐ _____

b ☐ _____

c ☐ _____

d ☐ _____

e ☐ _____

il tiramisù

1 Prendere quattro uova e separare i tuorli e gli albumi.

2 Aggiungere ai tuorli 100 grammi di zucchero e 400 grammi di mascarpone, poi mescolare ancora.

3 Con la frusta elettrica mescolare gli albumi e unirli poi alla crema di mascarpone; alla fine aggiungere due cucchiai di rum.

4 Intanto preparare una grossa moka di caffè forte, zuccherare e fare raffreddare.

5 Prendere 300 grammi di biscotti savoiardi e inzuppare per un attimo nel caffè.

6 Mettere i biscotti in un contenitore a forma rettangolare. Versare una parte del mascarpone, quindi mettere un altro strato di biscotti e poi di mascarpone.

7 Spolverare con del cacao e mettere in frigo per due ore.

8 Servire freddo.

15 Leggi le interviste e correggi gli errori sottolineati nell'uso del verbo *piacere* (verbo e pronomi).

Eccoci con Valentino Rossi. Parliamo dei tuoi gusti, che cosa ti piacciono mangiare prima di una gara?

Quando ho una gara ti piace iniziare la giornata con due uova saltate in padella. Per pranzo invece mi piace molto i tortiglioni al tonno e piselli, conditi con olio d'oliva. La sera, dopo la gara, si piace godermi un bel secondo di carne.

Valentino, cosa mi piace fare quando non corri in moto?

Quando non mi alleno, mi piace fare una vita normale. Mi piacciono andare in palestra e uscire con i miei amici.

Giorgia, siamo curiosi di sapere qualcosa dei tuoi gusti, per esempio ti piacciono la carne?

No, la carne non ti piace molto, preferisco il pesce, magari con qualche erba aromatica. Mi piace invece molto i primi, il risotto in particolare.

E come dolce cosa ti piacciono?

Ti piace molto la crostata con la frutta, ma mi piace anche i dolci al cucchiaio.

16 *Potere* e *volere*. Abbina il significato alla frase giusta.

a chiedere il permesso
b fare una richiesta
c esprimere un desiderio
d dare un consiglio

1 ☐ Puoi prestarmi la tua matita?
2 ☐ Se è troppo amaro puoi aggiungere lo zucchero.
3 ☐ Posso chiudere la finestra?
4 ☐ Può parlare più lentamente?
5 ☐ Voglio cercare la parola "arrosto" sul dizionario.
6 ☐ Puoi aiutarmi? Non riesco a capire questo esercizio.
7 ☐ Se non vuoi trovare traffico, parti domani mattina presto.
8 ☐ Posso iniziare l'esercizio?
9 ☐ Voglio imparare l'italiano.

17 Comunicazione in classe. *Potere* o *volere*?

1 Markus: Questa settimana _____ imparare almeno 100 parole nuove.

2 Jan: Scusi, _____ ripetere per favore? Non ho capito.
   Insegnante: Certo. Il plurale di "uovo" è "uova".

3 Martina: Scusi, _____ uscire un momento?
   Insegnante: Certo.

4 Insegnante: Perché _____ imparare l'italiano?

Stan: Perché _____ trovare un lavoro in Italia.

5 Isabel: _____ prendere la tua penna, per favore?
   Anita: Certo. Prendila pure.

6 Rakesh: Scusi, _____ fare una domanda?
   Insegnante: Certo, di' pure.

7 Arthur: Non riesco a capire, (Lei) _____ spiegare meglio?
   Insegnante: Certo, lo strudel è un dolce.

18 Il partitivo. Riscrivi le frasi usando il partitivo.

es. Vuoi ancora un po' di coca-cola?   *Vuoi ancora della coca-cola?*

1 Metti un po' di sale nell'acqua per la pasta. _____
2 Nel frigo c'è ancora un po' di tiramisù. _____
3 Vorrei un po' di formaggio sulle lasagne. _____
4 Questa sera cucino una torta. Ci sono ancora un po' di uova nel frigo? _____
_____
5 Domani è il compleanno di Lucia. Le compro un po' di cioccolatini e di fiori. _____
_____
6 Metti ancora un po' di zucchero nel latte. _____
7 Prendi un po' d'acqua per far bollire le patate. _____
8 Scusi, posso avere un po' di pane? _____

19 Che cosa piace agli italiani? Leggi e completa con gli articoli e le desinenze.

Marco: Io adoro (1) ____ (2) gust____ salati, mi piacciono molto (3) ____ (4) formagg____ (5) piccant____, per esempio (6) ____ scamorza, ma anche (7) ____ emmental. La mia cena finisce sempre con un po' di formaggio.

Silvia: Io invece non riesco a vivere senza (8) ____ pane, a cena, a pranzo e anche a colazione con (9) ____ latte mangio un po' di pane. Ma mi piacciono molto anche (10) ____ (11) focacc____ (12) salat____: con (13) ____ olive e con (14) ____ aromi, come l'origano.

Giuliano: A me piacciono molto (15) ____ uova: bollite oppure fritte o anche (16) ____ frittate con (17) ____ verdure. (18) ____ mia (19) preferit____ è (20) ____ frittata con (21) ____ pomodori.

20 Forma le frasi come nell'esempio.

es. La pasta all'arrabbiata è più piccante della pasta al pomodoro.

1 Pasta all'arrabbiata			cioccolata
2 Caffè		piccante	prosciutto crudo
3 Coca-cola	più	buono	pizza margherita
4 Tiramisù		saporito	risotto giallo
5 Risotto ai funghi	meno	dolce	aranciata
6 Prosciutto cotto		salato	pasta al pomodoro
7 Pizza capricciosa			sorbetto al limone

21 Abbina le frasi della prima colonna alle frasi della seconda colonna.

1 ☐ Il panettone è un dolce
2 ☐ La colomba è un dolce
3 ☐ Lo zampone è un secondo piatto
4 ☐ Il limoncello è un digestivo   **che**
5 ☐ La crostata è una torta
6 ☐ Il pesto è un sugo
7 ☐ Le lasagne alla bolognese sono un primo piatto

a si prepara con le uova.
b viene da Genova.
c si mangia a Capodanno.
d viene da Bologna.
e si mangia a Natale.
f si mangia a Pasqua.
g viene da Napoli.

22 Completa questi messaggi da un forum di cucina con *allora*, *ma*, *invece*, *perché* (2 volte).

● ● ●

CONSIGLI PER UNA CENA VELOCE

Marina Balanti – Peschiera Borromeo	Carissimi, stasera ho gente a cena. Help!!! Volevo preparare le melanzane alla parmigiana, (1) _____ non ho abbastanza tempo!! Sono già le 6 e i miei ospiti arrivano alle 7. Vi prego aiutatemi!!
Roberta Bianchi – Roma	La cosa più semplice è un bel piatto di pasta, (2) _____ piace sempre a tutti. Ti consiglio gli spaghetti cacio e pepe, sono velocissimi da preparare e di sicuro hai tutti gli ingredienti in casa!
Rosa Teoldi – Torino	Io (3) _____ farei una torta salata, (4) _____ la prepari in un attimo! Puoi farla con gli spinaci e la ricotta oppure con le cipolle.
Marina Balanti – Peschiera Borromeo	Grazie, siete sempre insostituibili!! Non ho in casa né gli spinaci né le cipolle, (5) _____ preparo gli spaghetti cacio e pepe!!! Bacioni a tutte!!! Marina

Pronuncia e ortografia

23 **mp3 T78** Ascolta e scrivi le lettere che mancano.

1 in _ _ edienti
2 basili _ _
3 erba _ _ pollina
4 _ _ lamari
5 spi _ _ la

6 _ _ niglio
7 parmi _ _ ano
8 _ _ attugiare
9 fun _ _
10 te _ _ me

11 _ _ ocere
12 _ _ ndire
13 _ _ rare
14 fri _ _ rifero
15 _ _ r _ _ ofo

16 sur _ _ lato
17 pan _ _ attato
18 aran _ _ a
19 fi _ _

24 `mp3 T79` Ascolta queste parole senza senso: scegli tra [k] come in <u>c</u>o<u>c</u>omero e [kk] come in abba<u>cch</u>io.

[k] [kk]

1 ☐ ☐
2 ☐ ☐
3 ☐ ☐

[k] [kk]

4 ☐ ☐
5 ☐ ☐
6 ☐ ☐

25 `mp3 T80` Ascolta queste parole senza senso: scegli tra [g] come in sugo e [gg] come in raggrumare.

[g] [gg]

1 ☐ ☐
2 ☐ ☐
3 ☐ ☐

[g] [gg]

4 ☐ ☐
5 ☐ ☐
6 ☐ ☐

26 Completa le frasi con <c>, <cc>, <g>, <gg>.

1 Si usa per rendere dolce il caffè: è lo zu___hero.
2 Le fra___ole sono un tipo di frutta e sono molto buone con il cio___olato.
3 Il ___u___ hiaio serve per mangiare la zuppa.
4 Stasera vado a mangiare in un a___riturismo.
5 Il posto dove si va per bere buon vino si chiama enote___a.
6 Un buon su___o è fondamentale per una buona pasta.
7 Mi piacciono molto le pizze pi___anti.
8 Sulla tavola serve per bere: è il bi___hiere.
9 Spesso gli italiani si a___re___ano al bar.
10 Spesso nei bar si pa___a alla cassa.

☀ **27**a `mp3 T81` Come si pronunciano queste parole? Leggi, poi ascolta e controlla.

bagno / gnocco / lasagne / bignè / ingegnere /
lavagna / signori / bolognese

☀ **27**b `mp3 T82` Ascolta e scrivi una X quando senti il suono [ɲ] come in <u>gn</u>omo.

	1	2	3	4	5	6	7
A							
B							

gnomo

Unità 05 Scusa, dov'è la fermata dell'autobus?

Comprensione orale

1 `mp3` `T83` Paolo cerca una nuova casa. La segretaria di un'agenzia propone a Paolo due appartamenti. Ascolta e segna sulla piantina la strada per arrivare ai due appartamenti. Attenzione! La segretaria fa un errore alla fine del percorso: trovalo!

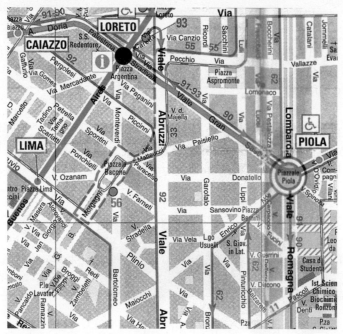

2a `mp3` `T84` Ascolta e completa.

1

■ _____?
● Pronto. Ciao, _____ John. C'è Chiara?
■ Ciao John, _____ Anna. No, mi _____, Chiara è _____
● Quando _____ trovarla?
■ Mah, prova verso le 5... No, aspetta un _____, è arrivata adesso. Te la _____.
● Va bene, grazie. _____.
■ _____.

2

■ _____, studio medico.
● _____, _____ Pedro Alvarez. _____ parlare con la dottoressa Laura Rossi.
■ Mi dispiace, la dottoressa non c'è. _____ lasciare un _____?
● No grazie, _____ parlare con lei. Quando posso _____?
■ Allora provi _____ verso le 10.
● Va bene, grazie. _____.
■ Prego. _____.

2b Completa la tabella.

AL TELEFONO	informale 👤	formale 👤
Rispondere al telefono		Buongiorno (+ nome)
Presentarsi al telefono		
Chiedere di parlare con una persona		
Chiedere quando è possibile chiamare di nuovo una persona		
Passare una persona al telefono		Gliela/o passo.
Chiedere di lasciare un messaggio		

Comprensione scritta

3a Leggi e rispondi: vero o falso?

<table>
<tr><td></td><td>V</td><td>F</td></tr>
<tr><td>1 Gli italiani sono soddisfatti dei trasporti pubblici.</td><td>☐</td><td>☐</td></tr>
<tr><td>2 L'Italia è al secondo posto in Europa per numero di auto.</td><td>☐</td><td>☐</td></tr>
<tr><td>3 L'Italia è tra i primi Paesi in Europa per chilometri di metropolitana.</td><td>☐</td><td>☐</td></tr>
</table>

33%
gli italiani
insoddisfatti
dei trasporti
pubblici
(media europea 23%)

I MEZZI PUBBLICI PIÙ VELOCI...
Vibo Valentia
Lecce
Vercelli
...E QUELLI LUMACA
Foggia
Imperia
Napoli

DOVE CI SONO
PIÙ PARCHEGGI
La Spezia
Bologna
Pavia

LE CITTÀ PIÙ INQUINATE...
(POLVERI SOTTILI)
Torino
Taranto
Milano

...E LE PIÙ PULITE
Arezzo
Viterbo
Potenza

QUELLE CON PIÙ ZONE
A TRAFFICO LIMITATO
Siena
Ascoli Piceno
Ferrara

Percentuale di cittadini
insoddisfatti per i trasporti pubblici

ITALIA	33%
OLANDA	25%
GERMANIA	25%
AUSTRIA	22%
FRANCIA	21%
SPAGNA	21%
PORTOGALLO	21%
GRECIA	19%
REGNO UNITO	18%
MEDIA UE	23%

Fermate l'Italia voglio scendere

Siamo i più insoddisfatti d'Europa per il trasporto
pubblico. I secondi per numero di auto circolanti.
Quasi ultimi per chilometri di metropolitana.
Code, scioperi, inquinamento:
cosa possiamo fare per sopravvivere in città?

10 milioni
Gli italiani
che possiedono
un mezzo
a due ruote

AUTO IN CIRCOLAZIONE

Lussemburgo	
ITALIA	**580** per mille abitanti
Germania	
Portogallo	

126 in più della media europea

3b Conosci queste parole?
Associa parole e disegni.

a coda
b zona a traffico limitato
c sciopero
d inquinamento

3c Completa.

Quali sono le città
1 dove i mezzi pubblici sono più veloci? _____
2 dove i mezzi pubblici sono più lenti? _____
3 più inquinate? _____
4 meno inquinate? _____
5 con più parcheggi? _____
6 con più zone a traffico limitato? _____

Quanti italiani
non sono contenti dei mezzi pubblici?
_____
hanno una macchina?
_____
hanno una moto o un motorino?
_____

Lessico

4 Associa i nomi alle definizioni.

1 ☐ via
2 ☐ incrocio
3 ☐ viale
4 ☐ vicolo
5 ☐ piazza
6 ☐ ponte
7 ☐ rotonda

a largo spazio circondato da case, da cui partono più strade
b costruzione che serve a passare sopra un fiume
c piccola strada stretta
d punto in cui due strade si incontrano e formano una croce
e incrocio di tante strade, senza semaforo e di forma tonda
f strada che collega diversi punti di un centro abitato
g via ampia e con alberi

5 Le vie hanno il nome di personaggi storici, santi, artisti, piante, città e regioni, oppure ricordano fatti storici (avvenimenti, guerre) o antiche professioni. Sai dire che cosa ricordano i nomi di queste vie o piazze?

1 VIA ROSSINI
2 VIA SARDEGNA
3 PIAZZA DANTE
4 VIA S. ROCCO
5 VIA L. DA VINCI
6 VIA ADIGE

a ☐ un santo
b ☐ un pittore
c ☐ una regione
d ☐ un fiume
e ☐ un musicista
f ☐ uno scrittore

6 Completa con la parola giusta.

Cara Peggy,

sono felicissima di averti alla festa e non vedo l'ora di vederti!

Ecco le indicazioni per arrivare a casa mia. (1) *Dentro / Di fronte / All'angolo* alla stazione prendi l'autobus numero 15 che va verso il centro. (2) *Esci / Vieni / Scendi* alla quarta (3) *uscita / fermata / strada* che è davanti al Coin. Prendi la prima (4) *via / piazza / incrocio* a destra e vai avanti (5) *a destra / dritto / in fondo* fino a quando incontri il fiume. Attraversa il (6) *semaforo / ponte / marciapiede* e prosegui per circa 200 (7) *passi / metri / chilometri* fino a una piazzetta con in mezzo una (8) *fontana / via / fermata*, piazza Martini. Io abito lì, al numero 7. Dalla fermata (9) *sono / ci vuole / prende* circa un quarto d'ora. Se hai qualche problema, chiamami al cellulare (335 4532765).

Ti aspetto!

Un abbraccio,

Silvia

7 Completa il cruciverba.

ORIZZONTALI

1 Cerco un _____ con due camere da letto.
2 Per guardare la Tv mi siedo sul _____ .
3 Metto i miei vestiti nell'_____ .
4 Il _____ non ha la doccia ma la vasca.
5 In _____ non c'è il tavolo perché è piccola.

VERTICALI

a Per lavare i vestiti uso la _____.
b Nell'appartamento ci sono due _____ da letto.
c In cucina c'è anche la _____. Che fortuna!
d In camera c'è un _____ matrimoniale.
e In _____ c'è un divano, la TV e una libreria.

Funzioni

8 Completa il dialogo.

■ (1) _____?
● Piazza Nogara? Sì, deve passare il Ponte Navi, prendere via Cappello e girare al secondo semaforo a sinistra, in via Stella. Vada sempre diritto e arriva in piazza Nogara.
■ (2) _____?
● A piedi ci vuole un quarto d'ora.
■ (3) _____?
● Sì, c'è l'autobus n. 7. La fermata è in fondo a questa strada.
■ (4) _____?
● Può comprare il biglietto all'edicola davanti alla chiesa.
■ (5) _____.
● Di niente, arrivederci.

9   Guarda la cartina di Verona e completa il dialogo.

■ Scusi, mi sa dire come arrivare all'Arena?
● Sì, attraversi (1) _____.
■ E senta, la casa di Giulietta è lontana dall'Arena?
● No, deve (2) _____.

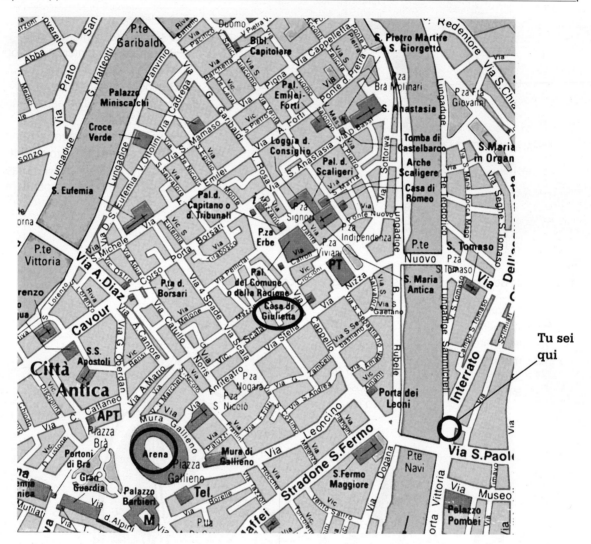

Tu sei
qui

Grammatica

10a   La signora Zetti lascia un messaggio al figlio. Scrivi le frasi con l'imperativo. Aggiungi articoli e preposizioni.

Ciao Giacomo,

io vado al lavoro. Quando torni da scuola chiudi la porta a chiave, poi...

Ci vediamo stasera

Mamma

→ chiudere porta a chiave
→ portare cartella in camera
→ non lasciare scarpe in soggiorno
→ scaldare pasta microonde
→ pulire tavolo
→ aprire finestra cucina
→ fare compiti
→ non dimenticare finestra cucina
   aperta

10b La signora Pozzi lavora in un'agenzia immobiliare e il suo capufficio le dice che cosa deve fare. Scrivi le frasi con l'imperativo. Aggiungi articoli e preposizioni.

es. Telefoni all'ufficio vendite.

→ telefonare ufficio vendite
→ telefonare architetto Zoli
→ prendere appuntamento proprietario appartamento
→ rispondere e-mail clienti
→ stampare piantina appartamento via Ozanam
→ non usare il fax: è rotto
→ fotocopiare contratto d'affitto
→ andare a ritirare chiavi via Tasso
→ organizzare riunione per domani

11 In classe. Completa le frasi dell'insegnante con i verbi all'imperativo. Usa il *voi*.

scrivere
chiacchierare
raccontare
mettere
chiedere
leggere
ascoltare

3 Non
_____!

2 _____
al vostro compagno
che cosa avete
fatto ieri.

4 _____
il dialogo n. 2.

1 *Mettete* le sedie
in cerchio

5 _____
il vostro nome sul
foglio.

6 _____ al
vostro compagno
dove abita.

7 _____ il
testo a pagina 20.

12 Completa con il presente dei verbi *dovere, potere* e *volere*.

1 Stasera i miei amici _____ andare a ballare, ma io non _____ perché _____ finire un lavoro per domani.

2 Silvia non _____ venire a cena domani sera perché _____ andare all'aeroporto a prendere il suo ragazzo che torna dal Canada.

3 _____ chiamare Paolo, _____ usare il tuo telefono?

4 La tua macchina è rotta? _____ prendere la mia, se ti serve.

5 Se _____ uscire anche tu, _____ chiamare la baby-sitter, perché i bambini non _____ stare a casa da soli.

6 Bambini, _____ spegnere la televisione? Sono stanco e _____ riposare un po' prima di cena.

7 _____ bere qualcosa? _____ andare al bar qui di fronte, fanno dei cocktail buonissimi.

8 Per prendere il 7 nella direzione della stazione _____ andare alla fermata di fronte.

13 Completa con i participi passati.

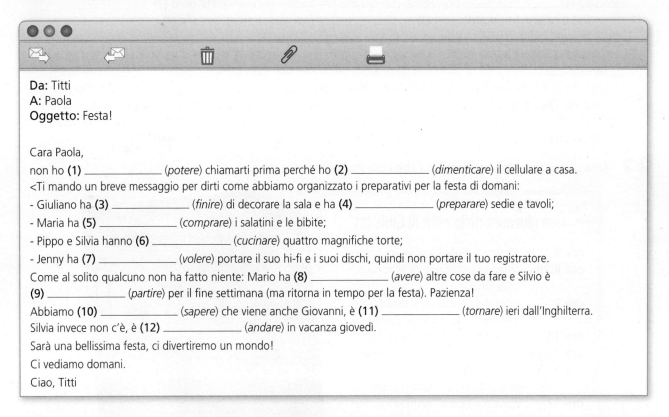

Da: Titti
A: Paola
Oggetto: Festa!

Cara Paola,

non ho **(1)** _____ (*potere*) chiamarti prima perché ho **(2)** _____ (*dimenticare*) il cellulare a casa.

<Ti mando un breve messaggio per dirti come abbiamo organizzato i preparativi per la festa di domani:

- Giuliano ha **(3)** _____ (*finire*) di decorare la sala e ha **(4)** _____ (*preparare*) sedie e tavoli;

- Maria ha **(5)** _____ (*comprare*) i salatini e le bibite;

- Pippo e Silvia hanno **(6)** _____ (*cucinare*) quattro magnifiche torte;

- Jenny ha **(7)** _____ (*volere*) portare il suo hi-fi e i suoi dischi, quindi non portare il tuo registratore.

Come al solito qualcuno non ha fatto niente: Mario ha **(8)** _____ (*avere*) altre cose da fare e Silvio è **(9)** _____ (*partire*) per il fine settimana (ma ritorna in tempo per la festa). Pazienza!

Abbiamo **(10)** _____ (*sapere*) che viene anche Giovanni, è **(11)** _____ (*tornare*) ieri dall'Inghilterra.

Silvia invece non c'è, è **(12)** _____ (*andare*) in vacanza giovedì.

Sarà una bellissima festa, ci divertiremo un mondo!

Ci vediamo domani.

Ciao, Titti

14 Trova nel crucipuzzle i participi passati irregolari di questi verbi.

1 fare
2 chiedere
3 essere
4 venire
5 prendere
6 perdere

M	C	N	O	F	R	A	C
P	H	U	L	A	S	T	V
S	I	Z	I	T	D	B	U
V	E	N	U	T	O	E	P
N	S	T	I	O	R	T	E
S	T	A	T	O	A	M	R
B	O	S	C	R	U	L	S
Q	U	N	P	R	E	S	O

15 Completa i dialoghi con l'ausiliare *essere* o *avere*.

1 ■ _____ visto Federico?
  ● Sì, _____ arrivato da Milano dieci minuti fa. Forse _____ andato a fare la doccia.

2 ■ Che cosa _____ fatto sabato sera, tu e Tiziana?
  ● _____ usciti a cena e poi _____ visto un film.

3 ■ I tuoi genitori _____ partiti per le vacanze?
  ● Sì, _____ preso l'aereo stamattina, _____ andati in Sicilia.

4 ■ _____ uscito con i tuoi colleghi, ieri sera?
  ● No, _____ lavorato fino a tardi e poi _____ tornato a casa.

5 ■ _____ preso l'autobus per venire a scuola?
  ● No, noi _____ venuti in macchina.

16 Completa con il passato prossimo.

Ieri sera (1) _____ (io, uscire) con Silvano per andare al cinema. Lui però (2) _____
(arrivare) a casa mia in ritardo, così (3) _____ (noi, cercare) un taxi, ma (4) _____
(noi, trovare) molto traffico e non siamo arrivati in tempo. Allora (5) _____ (noi, chiamare) Terry
e Cecilia per andare a bere qualcosa al bar messicano, dove c'è anche la musica dal vivo e si può anche ballare.
Lì (6) _____ (io, incontrare) degli amici dell'università: tutti (7) _____ (loro, ballare)
molto, ma io no, perché non so ballare! Non importa, (8) _____ (essere) comunque molto
divertente. Però questa mattina (9) _____ (io, svegliarsi) con il mal di testa e quindi non
(10) _____ (io, andare) all'università, (11) _____ (io, restare) tutto il giorno in casa.
Peccato! (12) _____ (io, perdere) la lezione di italiano sul passato prossimo!

17 Una giornata a Verona. Racconta che cosa hai fatto ieri a Verona.

una giornata nella città di Giulietta

ore 7	partenza dalla stazione di Brescia
ore 8.30	arrivo alla stazione di Verona e colazione
ore 9	visita del centro città (tomba di Giulietta, Basilica di S. Zeno)
ore 11	al mercato in Piazza delle Erbe
ore 12.30	pranzo al ristorante "da Maria"
ore 14.30	visita del Ponte Scaligero e passeggiata sul fiume Adige
ore 17	visita guidata all'Anfiteatro romano (Arena)
ore 18	concerto di musica lirica
ore 22.30	arrivo a Brescia

Ieri sono andato in gita a Verona.

Sono partito da Brescia alle...

18 Cambia le parole sottolineate e metti la preposizione articolata corretta.

■ Dove abiti?

● Vicino **alla** stazione.
● Vicino **al** museo.

biblioteca / aeroporto / giardini pubblici /
cinema Mirage / scuole elementari /
stadio

■ Dove sono i miei occhiali?

● **Nella** borsa.
● **Nel** cassetto.

tasche / comodino / zaino / astuccio /
pantaloni / giacca

19 Che cosa ha comprato Giorgio?

Giorgio ha comprato del pane, _____

_____

20 Scrivi delle frasi come nell'esempio usando le preposizioni *su* (sopra) e *in* (dentro), semplici
o articolate.

~~latte~~ / coltelli / chiavi / giornali / biscotti / cuscini / vestiti / fiori / francobolli

cassetti / scrivania / armadio / ~~frigorifero~~ / borsa / scatola / buste / vaso / letto

es. Ho messo il latte <u>nel</u> frigorifero.

☀ **21** Osserva i disegni e scrivi delle frasi con *quindi* e *perché* come nell'esempio.

CAUSA → EFFETTO   EFFETTO → CAUSA

es.   **a** Sono stanco, **quindi** vado a letto.   **b** Vado a letto **perché** sono stanco.

  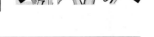

1   a _____
    b _____

3   a _____
    b _____

2   a _____
    b _____

4   a _____
    b _____

Pronuncia e ortografia

22   **mp3 T85** Ascolta e indica con una X quando senti il suono [b] (*bene*) o il suono [v] (*voi*).

[b]	X									
[v]		X								

23 `mp3` `T 86` Ascolta e completa con <*b*>, <*bb*>, <*v*> o <*vv*>.

1 ■ Senta, scusi, do_e posso comprare il _iglietto dell'auto_us?
  ● De_e andare in ta_accheria. Ce n'è una qui _icino, in fondo a _ia A__azia.

2 ■ Pronto, agenzia immo_iliare Casa _i_a.
  ● Buongiorno. Sono Sil_ia _alente. C'è il signor Al_erto _ar_ieri?
  ■ Sì, Sono io.
  ● Ah _ene. Senta, _orrei tro_are un'a_itazione per mia figlia _eronica che studia all'uni_ersità di _ologna. Non _orrei spendere molto o__iamente…

3 ■ Scusa, mi sai dire quanto ci _uole dalla stazione Gari_aldi per arri_are in via Gal_ani?
  ● A piedi ci _ogliono circa _enti minuti.
  ■ Mamma mia! Allora de_o camminare _eloce! Grazie.

4 ■ È in casa Gio_anni?
  ● Sì, è appena arri_ato.
  ■ E _i_iana?
  ● No, è andata a tro_are la sua amica Fla_ia.
  ■ _a bene. Allora preparo la ta_ola per tre.

24 In coppia. Ripetete a turno questi scioglilingua.

> Eva dava l'uva ad Ava;
> Ava dava le uova a Eva;
> ora Eva è priva d'uva,
> mentre Ava è priva d'uova.

> Sei tu quel barbaro
> barbiere che barbaramente
> sbarbasti la barba a quel
> povero barbaro barbone?

25 `mp3` `T 87` In coppia. Lo studente A detta le sue frasi allo studente B (che le scrive su un foglio). Poi B detta ad A. Alla fine ascoltate e leggete insieme.

Studente A

1 Viviana vuole l'uva.
2 Alberto beve il vino.
3 Oliviero vuole visitare la basilica di Sant'Ambrogio.
4 I bambini vanno in biblioteca.
5 Bianca ha visto un bel vaso di vetro a Burano.
6 Varese e Bergamo sono in Lombardia.
7 In Veneto ci sono molte belle ville.
8 Il Vesuvio è un vulcano vicino a Napoli.

Studente B

8 Venerdì vogliamo visitare Benevento.
7 Barbara abita in piazza San Babila.
6 Voi avete già visto l'Elba?
5 Non abbiamo ancora visitato Bari.
4 L'albergo Bellavista è a Vercelli.
3 Bruna ha l'abbonamento dell'autobus.
2 Bevi un bicchiere di vino bianco.
1 Venite a visitare l'Abruzzo.

Sintesi grammaticale

IL GRUPPO NOMINALE

Il gruppo nominale è formato da un nome con l'articolo e l'aggettivo (o gli aggettivi) che lo accompagnano.

	MASCHILE			FEMMINILE		
	ARTICOLI	NOMI	AGGETTIVI	ARTICOLI	NOMI	AGGETTIVI
SINGOLARE	il/un	pomodoro pane	saporito naturale	la/una	mela carne	saporita naturale
	lo/uno	zucchino				
	l'/un	asparago		l'/un'	anguria	
PLURALE	i/dei	pomodori pani	saporiti naturali	le/delle	mele carni angurie	saporite naturali
	gli/degli	zucchini asparagi				

■ L'ARTICOLO

In italiano ci sono due tipi di articolo: l'articolo determinativo e l'articolo indeterminativo.

L'articolo determinativo

	MASCHILE	FEMMINILE
SINGOLARE	il/lo/l'	la/l'
PLURALE	i/gli	le

Con i nomi maschili singolari normalmente si usa l'articolo **il** (*il ristorante, il prosciutto*). Con i nomi femminili si usa l'articolo **la** (*la piscina, la stanza*). L'articolo maschile **lo** si usa con i nomi maschili che iniziano con: *s* + consonante (*lo studente*), *z-* (*lo zio*), *ps-* (*lo psicologo*), *gn-* (*lo gnomo*), *y-* (*lo yogurt*).
Gli articoli singolari *lo* e *la* perdono la vocale e diventano *l'* davanti ai nomi singolari che iniziano con vocale: *l'amico, l'amica*.
Il plurale dell'articolo maschile **il** è **i** (*i ristoranti, i prosciutti*); il plurale degli articoli maschili **lo/l'** è **gli** (*gli gnomi, gli studenti, gli amici*); il plurale degli articoli femminili **la/l'** è sempre **le** (*le piscine, le stanze, le amiche*).

L'articolo indeterminativo

MASCHILE	FEMMINILE
un (*un amico, un tavolo*)	**una** (*una sedia*)
uno (*uno zio*)	**un'** (*un'amica*)

Con i nomi maschili normalmente si usa **un** (*un ragazzo, un libro*); con i nomi femminili si usa **una** (*una ragazza, una casa*).
L'articolo maschile **uno** (come l'articolo determinativo *lo*) si usa con i nomi maschili che iniziano con: s + consonante (*uno studente*), z- (*uno zio*), ps- (*uno psicologo*), gn- (*uno gnomo*), y- (*uno yogurt*).
L'articolo **un'** si usa con nomi femminili che iniziano con vocale (*un'amica*); con i nomi maschili che iniziano con vocale si usa l'articolo **un** senza apostrofo (*un amico*).

L'articolo indeterminativo non ha plurale; in genere per il plurale si usa l'articolo partitivo (*dei*, *degli*, *delle*): *Ho comprato **un** giornale.* → *Ho comprato **dei** giornali.*

Uso degli articoli

L'articolo indeterminativo introduce nel discorso un elemento nuovo, mentre l'articolo determinativo riprende un elemento già noto: *Nel cortile c'è **un** bambino. **Il** bambino sta giocando a palla.*

L'articolo determinativo può indicare anche una classe di nomi:

Il *cane è il miglior amico dell'uomo.*   (il cane = tutti i cani)

Non si usa l'articolo:

- con i nomi di persona: *Ho incontrato Paolo*;
- con i nomi di città: *Roma, Milano, Venezia* (attenzione: con i nomi di Stati, continenti e regioni si mette l'articolo: *La Francia, l'Europa, la Toscana*);
- con i giorni della settimana con il significato di "prossimo" o "scorso":
  Martedì *vado in piscina.*   (= il prossimo martedì)
  Martedì *sono andato al cinema.*   (= lo scorso martedì)
  Se si usa l'articolo significa "tutti i…": **Il martedì** *vado in piscina.* (= tutti i martedì)

■ IL NOME

Genere

I nomi in -*o* (plurale -*i*) sono generalmente **maschili**: *il libro* → *i libri.*

Alcune eccezioni: *la mano* → *le mani, la foto* → *le foto, la moto* → *le moto.*

I nomi in -*a* (plurale -*e*) sono generalmente **femminili**: *la penna* → *le penne.*

Alcune eccezioni: *il problema* → *i problemi, il panorama* → *i panorami, il poeta* → *i poeti, il programma* → *i programmi.*

I nomi in -*e* (plurale -*i*) possono essere **maschili e/o femminili**: *il registratore, **la** televisione, **il / la** cantante.*

Particolarità:

- alcuni nomi maschili in -*e* formano il femminile in -*a* (*l'infermiere/l'infermiera, il signore/la signora*);
- alcuni nomi in -*a* sono maschili e femminili (*il/la collega, il/la pianista, il/la pediatra, l'artista*);
- i nomi maschili che indicano attività e professioni spesso formano il femminile con:
  - ▶ il suffisso -***essa***: *lo studente* → *la studentessa, il professore* → *la professoressa*;
  - ▶ il suffisso -***trice*** (se il maschile termina in -***tore***): *attore* → *attrice, spettatore* → *spettatrice.*

Numero

I nomi maschili in -*o* formano il plurale in -*i*; i nomi femminili in -*a* formano il plurale in -*e*.

I nomi maschili e femminili in -*e* formano il plurale in -*i*: *il ristorante* → *i ristoranti, la lezione* → *le lezioni, il/la cantante* → *i/le cantanti.*

Alcune particolarità:

- i nomi maschili in -*a* formano il plurale in -*i*: *il problema* → *i problemi, il farmacista* → *i farmacisti*;
- i nomi in -*co/-ca* e -*go/-ga* terminano generalmente in -*chi/-che* e -*ghi/-ghe*: *fico* → *fichi, banca* → *banche, albergo* → *alberghi, paga* → *paghe*;
- alcuni nomi in -*co* terminano in -*ci*: *amico* → *amici, medico* → *medici* ecc.

■ L'AGGETTIVO

Aggettivi qualificativi

Gli aggettivi qualificativi specificano una qualità del nome a cui si riferiscono.

	MASCHILE	FEMMINILE
SINGOLARE	bell**o**	bell**a**
	facil**e**	
PLURALE	bell**i**	bell**e**
	facil**i**	

Gli aggettivi qualificativi si accordano in genere e numero con i nomi a cui si riferiscono. Gli aggettivi hanno le stesse regole di flessione del nome: gli aggettivi in *-o* sono **maschili** singolari (plurale *-i*): *il ragazzo alto, i ragazzi alti*; gli aggettivi in *-a* sono **femminili** singolari (plurale *-e*): *la ragazza alta* → *le ragazze alte*.

Gli aggettivi in *-e* sono **maschili e femminili** e formano il plurale in *-i*: *il ragazzo cinese, la ragazza cinese* → *i ragazzi cinesi, le ragazze cinesi*.

! Quando l'aggettivo si riferisce a nomi di genere diverso, si accorda al maschile: *le ragazze e i ragazzi tedeschi*.

Particolarità:
- alcuni aggettivi di colore restano invariati in genere e numero (*blu, rosa, viola*): *un cappotto viola;*
- gli aggettivi in *-co* e *-go* terminano generalmente in *-chi* e *-ghi*: *bianco/bianca* → *bianchi/bianche; largo/larga* → *larghi/larghe*. Alcuni aggettivi in *-co* terminano in *-ci* al maschile plurale: *simpatico/simpatica* → *simpatici/simpatiche*.

La posizione degli aggettivi qualificativi

L'aggettivo qualificativo in genere segue il nome, perché ha la funzione di precisare di quale nome si tratta:

  *Ho conosciuto la sorella **giovane** di Mario.*   (quella giovane e non un'altra)

Nei casi in cui invece l'aggettivo si trova prima del nome, ha una funzione descrittiva:

  *Ho conosciuto la bella e **giovane** sorella di Mario.*

I gradi dell'aggettivo

Con gli aggettivi qualificativi esprimiamo la qualità, ma possiamo anche esprimere il grado della qualità: *bello, più bello, meno bello, bello come, bellissimo.*

Per *comparare*, cioè confrontare, due nomi (o pronomi) rispetto a una **qualità** generalmente si usa ***più/meno + aggettivo + di***:

La mia maglietta			corta	**della**	tua.
Marcello	è	**più** **meno**	ricco	**di**	Giulio.
Lui			elegante	**di**	te.

Si può usare anche ***che*** quando si comparano due qualità (*Il tavolo è più **largo** che **lungo**.*), due verbi (***Sciare** è più divertente che **camminare**.*) e con espressioni di luogo (*Il vino costa più **in Italia** che **in Belgio**.*).

Per esprimere **uguaglianza** si usa generalmente ***come*** (*La mia maglietta è corta come la tua. / Il vino in Italia costa come in Germania.*).

Se non c'è comparazione, ma si vuole esprimere il massimo grado di una qualità, si usa il suffisso *-issimo/-issima/-issimi/-issime*: *È un libro bellissimo. / Ha una casa bellissima.*

Aggettivi e pronomi possessivi

Gli aggettivi possessivi esprimono un rapporto di possesso, appartenenza o vicinanza tra oggetti, persone o animali (*la mia casa, i miei amici, il suo cane*). Indicano la persona che possiede.

	(di me)	(di te)	(di lui/lei/Lei)	(di noi)	(di voi)	(di loro)	
MASCHILE SINGOLARE	il mio	il tuo	il suo	il nostro	il vostro	il lor**o**	**lavoro**
FEMMINILE SINGOLARE	la mia	la tua	la sua	la nostra	la vostra	la lor**o**	**famiglia**
MASCHILE PLURALE	i miei	i tuoi	i suoi	i nostri	i vostri	i lor**o**	**amici**
FEMMINILE PLURALE	le mie	le tue	le sue	le nostre	le vostre	le lor**o**	**stanze**

In italiano gli aggettivi possessivi si accordano con il genere e il numero della "cosa posseduta" (*il tuo vestito*, *la tua amica*).

Il pronome e aggettivo di 3ª persona singolare è uno solo e non distingue tra "di lui, di Mario" (*la sua casa*) e "di lei, Maria" (*la sua casa*). Anche per la 3ª persona di cortesia "di Lei, della Signora Rossi/del Signor Rossi" si usa il possessivo **suo/sua/suoi/sue** (*Signor Rossi, ha dimenticato le **sue** chiavi!*).

L'aggettivo di 3ª persona plurale è invariabile (*la **loro** penna, le **loro** penne*).

Normalmente gli aggettivi possessivi si usano con l'articolo: **la mia** scuola, **i miei** amici.
Alcune eccezioni:
- *Vengo a **casa tua**.*   (senza articolo e dopo il nome)
- con i nomi di alcuni familiari: *tuo padre, tua madre, tuo fratello, tua sorella.*

I **pronomi** possessivi hanno la stessa forma degli aggettivi possessivi e si usano sempre con l'articolo: *Questo è mio fratello, il tuo dov'è?*

Aggettivi e pronomi dimostrativi

Gli aggettivi dimostrativi indicano la posizione dell'elemento a cui il nome si riferisce in relazione al parlante e all'ascoltatore. *Questo* indica **vicinanza** a chi parla; *quello* indica **lontananza** da chi parla: *Questo libro è tuo? No, il mio è quello sulla scrivania.*

	MASCHILE	FEMMINILE
SINGOLARE	quest**o** - quell**o**	quest**a** - quell**a**
PLURALE	quest**i** - quell**i**	quest**e** - quell**e**

Gli aggettivi e i pronomi dimostrativi hanno la stessa forma di base, ma l'aggettivo *quello* modifica la desinenza seguendo le regole dell'articolo determinativo:
*Non voglio mettere **quei** pantaloni, preferisco **quelli**.*

*Il tavolo → **quel** tavolo; lo zaino → **quello** zaino; la tenda → **quella** tenda; l'amica → **quell'**amica; i maglioni → **quei** maglioni; gli scarponi → **quegli** scarponi; le magliette → **quelle** magliette.*

Il pronome *questo* può essere usato al posto del pronome soggetto di 3ª persona nelle presentazione di una persona a un'altra:
*Marco, ti presento due miei amici, **questo** è Mario e **questa** è Maria.*

Aggettivi e pronomi interrogativi

Servono a fare una domanda. Sono:

Come *ti chiami?*	*Kim.*
Come *vai al lavoro?*	*In macchina.*
Dove *abiti?*	*A Padova.*
Che *lavoro fai?*	*La guida turistica.*
Che cosa / **Cosa** *hai comprato?*	*Un litro di latte.*
Quale *libro vuoi?*	*Un libro di avventure.*
Quali *lingue parli?*	*L'italiano e il tedesco.*
Quando *vieni in Italia?*	*A ottobre.*
Quanto *zucchero vuoi?*	*Un cucchiaino, grazie.*
Quanti *anni hai?*	*23.*
Quant'*è?*	*20 euro.*
Perché *sei in Italia?*	*Per lavoro e per studio.*
Chi *è la tua insegnante?*	*La signora Rossi.*
Chi *è francese?*	*Marc.*
Chi *viene al cinema?*	*Io.*

❗Con i pronomi interrogativi il soggetto, se è espresso, segue il verbo (pronome interrogativo + verbo + soggetto):

*Dove abita **Paola**?* *Che cosa fa **la signora Rossi**?*

Fa eccezione il pronome *perché (Perché **Sven** lavora a Palermo?).*

Alcuni pronomi interrogativi possono essere combinati con una preposizione: ***Con** che cosa paga Matteo? **Di** dove sei? **In** quale città abiti?*

■ GLI AVVERBI

Gli avverbi sono parole che di solito modificano il significato del verbo:

*Siamo arrivati **ieri**. / Miriam viaggia **poco**. / Lucia suona **benissimo**.*

Gli avverbi possono modificare anche il significato di aggettivi o di altri avverbi:

*Martina è **poco** attenta. / Ho imparato a leggere **molto** presto.*

Avverbi di tempo e di frequenza

Gli avverbi di tempo misurano il tempo a partire dal momento in cui il parlante pronuncia una frase. I più frequenti sono: ***oggi, ora, adesso, ieri, domani, sabato*** ecc.

Gli avverbi di frequenza descrivono quanto spesso si fa qualcosa:

*Vado **sempre** al cinema. / Carla non legge **mai** il giornale.*

Gli avverbi di frequenza ordinati da "+ frequente" a "- frequente" sono: ***sempre, di solito, spesso, qualche volta, raramente, mai***. Altre espressioni utili per indicare la frequenza: *tutti i giorni, due volte al giorno, tre volte alla settimana, due volte al mese* ecc.

Mai con valore negativo è accompagnato dalla negazione *non* (***Non** guardo **mai** la televisione.*). Quando si trova in frasi interrogative perde il valore negativo ed è sinonimo di "qualche volta" (*Sei mai stato a Parigi?*)

Gli avverbi di frequenza si possono mettere prima o dopo il verbo (*Luigi va spesso dai nonni. / Luigi spesso va dai nonni.*), all'inizio o alla fine della frase (*Spesso Luigi va dai nonni. / Luigi va dai nonni spesso.*).

L'avverbio ***sempre*** si mette di solito dopo il verbo (*Il sabato sera esco sempre, vado sempre al cinema.*).

Avverbi di quantità

Gli avverbi di quantità indicano in modo indefinito una quantità:

*Luca mangia **poco**. / Roma è una città **molto** bella.*

Ecco i più comuni in una scala dal "niente (–)" al "moltissimo (+)": *niente, pochissimo, poco, un po', abbastanza, molto/tanto, moltissimo, troppo (Ho mangiato troppo e adesso ho mal di pancia.)*

Alcuni di questi avverbi, *poco, molto, tanto, troppo*, possono essere usati anche come aggettivi; in questo caso vanno accordati in genere e numero con il nome che segue: *Ci sono **molte** case.*

Avverbi di negazione

Negano il significato dell'elemento a cui si riferiscono (*Stasera **non** vengo al cinema.*) oppure possono essere utilizzati per rispondere in modo negativo a una domanda:

*Vieni al cinema domani? / **No**, mi dispiace, ho già un altro impegno.*

Spesso da soli sostituiscono una frase intera:

*Hai studiato molto per prepararti all'esame? / **No** (= non ho studiato molto).*

Avverbi di modo

Gli avverbi di modo rispondono alla domanda *come? in che modo?*:

*Paola parla **lentamente**.*

Questi avverbi si possono derivare in modo regolare aggiungendo al singolare femminile dell'aggettivo il suffisso ***-mente***: *certamente, tristemente*.

Se l'aggettivo finisce in *-le* oppure *-re* la *e* cade: *facilmente, particolarmente*.

IL VERBO

L'italiano ha tre classi (coniugazioni) di verbi regolari e molti verbi irregolari. I verbi regolari hanno uno schema generale che vale per tutti i verbi di quella coniugazione. La forma "base" del verbo italiano (quella che si trova sul dizionario) è l'infinito presente.

Per coniugare i verbi si usano le **desinenze** (la parte finale del verbo) che indicano la **persona** (1ª, 2ª e 3ª singolare o plurale), il **tempo** e il **modo** dell'azione.

■ LA PERSONA: I PRONOMI PERSONALI SOGGETTO

I pronomi personali soggetto indicano:
- la persona che parla (1ª persona: *io/noi*);
- la/le persona/e che ascoltano (2ª persona: *tu/voi*);
- altre persone (3ª persona: *lui/lei/loro*).

		SINGOLARE	PLURALE
1ª persona		io	noi
2ª persona		tu*	voi
3ª persona	maschile	lui	loro
	femminile	lei	

Il pronome soggetto di solito non si esprime (è sottinteso), perché la desinenza del verbo indica la persona (*parlo = io parlo*); viene però espresso quando si vuole mettere in rilievo il soggetto (per contrasto o quando non c'è il verbo):

*Io, mio marito e i bambini non usciamo mai insieme: **io** esco alle 7, **lui** esce alle 7.30.*
***Io** sono francese, **lui** è tedesco.*
*Chi parla italiano? **Lei**!*

* Nelle situazioni **formali** (con una persona che non conosco, con una persona anziana o con un superiore al lavoro) invece del pronome *tu* e della 2ª persona singolare si usa il pronome *Lei* e il verbo va coniugato alla 3ª persona singolare:

tu (informale)	*Lei* (formale)
*Jean, **vivi** in Francia?*	*Signor/Signora Rossi, Lei vive in Francia?*
***Sei** stanco, Paolo?*	*È stanco, signor Rossi?*
*Senti, dove **abiti**?*	*Senta, dove abita?*
Hai l'ora?	*Ha l'ora?*
*Ecco il **tuo** passaporto.*	*Signor Todd, ecco il **Suo** passaporto.*

■ MODO INDICATIVO

Il presente

Il tempo presente indica:
- un'azione contemporanea al momento in cui si parla:
  Che cosa fai? Scrivo un'e-mail.
- un'abitudine o una caratteristica:
  La sera di solito vado a dormire tardi. / Mi piace il gelato. / Sono tedesco.

Si può usare anche per indicare fatti futuri certi:
Domani vado a Milano. A settembre mi iscrivo all'università.

Verbi essere *e* avere

I verbi *essere* e *avere* sono irregolari e si coniugano in modo diverso da tutti gli altri verbi.
Essere e *avere* si chiamano anche "ausiliari" perché servono a formare i tempi composti (come il passato prossimo) di tutti gli altri verbi: *Ho bevuto una birra. / Sono andato a Ginevra.*

essere

io	sono
tu	sei
lui/lei/Lei	è
noi	siamo
voi	siete
loro	sono

Il verbo *essere* può essere seguito:
- da un nome:
  È un ingegnere. / Sono i miei cani. / È una penna.
- da un aggettivo:
  Marco è alto. / Siamo stanchi. / Sono triste. / La lezione è interessante.

Quando è seguito da un'espressione di luogo significa "trovarsi":
  Luisa è all'università. / Sono al cinema.

❗ *c'è / ci sono* (verbo essere + *ci*) = "essere presente", "esistere", "essere in un posto":
  *Oggi **c'è** il sole.*
  *Nel mio corso **ci sono** dei ragazzi indiani. (plurale)*
  *A casa di Paolo non **c'è** l'ascensore.*
  *Pronto? **C'è** Maria?*

avere

io	ho
tu	hai
lui/lei/Lei	ha
noi	abbiamo
voi	avete
loro	hanno

Il verbo *avere* indica possesso:
  I signori Bianchi hanno una casa al mare. / Ho tre figli.

Viene usato anche per indicare stati fisici e psicologici:
  Ho sonno. / Ha fame. / Rino ha sete. / Hanno paura.

❗ In italiano si dice: ***Ho** 23 anni.*

Verbi regolari

Coniugazioni

	1ª lavor**are**	2ª vend**ere**	3ª part**ire**	3ª in -*isco* fin**ire**
io	lavor**o**	vend**o**	part**o**	fin-**isc-o** [sk]
tu	lavor**i**	vend**i**	part**i**	fin-**isc-i** [ʃ]
lui/lei/Lei	lavor**a**	vend**e**	part**e**	fin-**isc-e** [ʃ]
noi	lavor**iamo**	vend**iamo**	part**iamo**	fin**iamo**
voi	lavor**ate**	vend**ete**	part**ite**	fin**ite**
loro	lavor**ano**	vend**ono**	part**ono**	fin-**isc-ono** [sk]

- La 3ª persona singolare si usa anche come forma di cortesia (vedi p. 51).
  *Signor Bianchi, che cosa **fa** nel suo tempo libero?*   *Gioco a tennis.*

- I più frequenti verbi in **-isco** (3ª coniugazione) sono: *capire, finire, preferire, pulire.*
  - Con i verbi in **-care/-gare** si aggiunge una *h* alla 2ª persona singolare (*tu*) e alla 1ª persona plurale (*noi*):
    giocare → *(tu) giochi / (noi) giochiamo*
  - Con i verbi in **-ciare/-giare** si mette solo una *i* alla 2ª persona singolare (*tu*) e alla 1ª persona plurale (*noi*):
    mangiare → *(tu) mangi (e **non** ~~mangii~~), (noi) mangiamo (e non ~~mangiiamo~~)*

Verbi riflessivi

Nei verbi riflessivi il soggetto è anche l'oggetto dell'azione: l'azione espressa dal verbo "si riflette" sul soggetto:
  *io **mi** lavo*   = io lavo (chi?) me stesso   (il verbo è riflessivo)
  io lavo i miei figli   = io lavo (chi?) i miei figli   (il verbo non è riflessivo)

Possono avere la forma riflessiva solo i verbi transitivi, cioè che hanno un complemento oggetto diretto.

lavarsi

io	**mi** lavo
tu	**ti** lavi
lui/lei/Lei	**si** lava
noi	**ci** laviamo
voi	**vi** lavate
loro	**si** lavano

Alcuni verbi irregolari

essere	sono	sei	è	siamo	siete	sono
avere	ho	hai	ha	abbiamo	avete	hanno
andare	vado	vai	va	andiamo	andate	vanno
bere	bevo	bevi	beve	beviamo	bevete	bevono
dare	do	dai	dà	diamo	date	danno
dire	dico	dici	dice	diciamo	dite	dicono
dovere	devo	devi	deve	dobbiamo	dovete	devono
fare	faccio	fai	fa	facciamo	fate	fanno
potere	posso	puoi	può	possiamo	potete	possono
rimanere	rimango	rimani	rimane	rimaniamo	rimanete	rimangono
sapere	so	sai	sa	sappiamo	sapete	sanno
scegliere	scelgo	scegli	sceglie	scegliamo	scegliete	scelgono
stare	sto	stai	sta	stiamo	state	stanno
uscire	esco	esci	esce	usciamo	uscite	escono
venire	vengo	vieni	viene	veniamo	venite	vengono
volere	voglio	vuoi	vuole	vogliamo	volete	vogliono

Verbi modali

Potere, volere, dovere si chiamano verbi modali perché indicano la modalità dell'azione (*potere* = possibilità, *volere* = volontà, *dovere* = necessità); sono sempre seguiti da un altro verbo all'infinito:

> *Posso uscire? / Voglio andare a Roma. / Devo studiare di più.*

I verbi modali sono irregolari, vedi p. 53.

I verbi modali sono usati per:

- **potere** + verbo (infinito):
  - ▸ esprimere una possibilità: *Quando vieni? Posso venire martedì sera.*
  - ▸ chiedere il permesso: *Scusi, posso uscire?*
  - ▸ chiedere in modo cortese: *Mi può portare il pane, per favore?*
  - ▸ dare un consiglio: *Per venire in Sardegna puoi prendere l'aereo.*

- **volere** + verbo (infinito):
  - ▸ esprimere un desiderio/un'intenzione: *A giugno vogliamo andare al mare.*
    Per esprimere un desiderio in modo gentile si usa il verbo *volere* al modo condizionale (*vorrei*): *Come dolce, vorrei mangiare un gelato.*
    Il verbo *volere* può essere seguito da un nome: *Come dolce, voglio/vorrei un gelato.*

- **dovere** + verbo (infinito):
  - ▸ esprimere un obbligo, una necessità: *Oggi devo lavorare fino alle sette.*
  - ▸ dare un consiglio, un suggerimento, un'istruzione: *Per fare un buon ragù devi usare l'olio di oliva. Per andare al Duomo devi andare sempre diritto.*

Verbo piacere

Il verbo *piacere* ha una costruzione particolare:

> **Mi piace** il gelato. / **Gli piacciono** i vini bianchi. / **A Monica piace** andare in montagna.

La persona a cui piace non è espressa con il pronome soggetto ma con il **pronome indiretto**:

> *mi, ti, gli, le, ci, vi gli piace/piacciono*

Il verbo è coniugato:

- alla 3ª persona singolare se è seguito da un nome singolare o da un verbo all'infinito:
  Ci piace la pizza. Ti piace andare al cinema?
- alla 3ª persona plurale se è seguito da un nome plurale: *Mi piacciono le olive.*

Con la forma di cortesia si usa il pronome *Le*:

> *Signora/Signor De Blasi, **Le** piace la città? (plurale: Signori De Blasi, **vi** piace la città?)*

3ª persona singolare	(+ nome singolare) (+ verbo infinito)	3ª persona plurale (+ nome plurale)	
Mi Ti Gli / A Paolo Le / A Paola A Lei, signore, Ci Vi Gli / A Mario e Maria	**piace** il riso. leggere.	Mi Ti Gli / A Paolo Le piace / A Paola A Lei, signore, Ci Vi Gli piace / A Mario e Maria	**piacciono** le pere.

Il passato prossimo

Il passato prossimo esprime azioni passate, puntuali e compiute:

> *Paolo è arrivato stamattina. / L'anno scorso sono andato in vacanza in Sicilia.*

È un tempo composto da un **ausiliare**, cioè il verbo *essere* o *avere* coniugato al presente, + il **participio passato** del verbo (vedi p. 57): *ho parlato / sono andato.*

Verbi con ausiliare *avere*		
io	ho	
tu	hai	
lui/lei/Lei	ha	parl**ato** vend**uto** fin**ito**
noi	abbiamo	
voi	avete	
loro	hanno	

Verbi con ausiliare *essere*		
io	sono	
tu	sei	
lui/lei/Lei	è	and**ato/a**
noi	siamo	and**ati/e**
voi	siete	
loro	sono	

Il participio passato e l'accordo

Il participio passato serve a formare i tempi composti.

Infinito	Participio passato
cerc-**are** vend-**ere** usc-**ire**, fin-**ire**	cerc-**ato** vend-**uto** usc-**ito**, fin-**ito**

Alcuni participi irregolari

aprire → aperto
chiudere → chiuso
essere/stare → stato*
correggere → corretto
cuocere → cotto
dire → detto

fare → fatto
leggere → letto
mettere → messo
morire → morto
nascere → nato
prendere → preso

scrivere → scritto
succedere → successo
venire → venuto
vivere → vissuto

* Il participio di *essere* è uguale al participio di *stare*.

> ! Se il verbo ha l'ausiliare *avere* il participio passato ha la desinenza invariabile *-o*:
> **Lei** *ha dormito*. / **Noi** *abbiamo dormito*. / **Carla** *e* **Laura** *hanno dormito*.

Se il verbo ha l'ausiliare *essere* bisogna accordare il participio passato con il soggetto.

Mario (masc. sing.) *è tornato a casa.*   *Silvia* (femm. sing.) *è tornata a casa.*
I miei amici (masc. plur.) *sono tornati a casa.*   *Le mie amiche* (femm. plur.) *sono tornate a casa.*

Avere o essere?

Il passato prossimo si forma con l'ausiliare *avere* se il verbo è **transitivo**, cioè può essere seguito dal complemento oggetto (chi? che cosa?): *Ieri ho incontrato Paola.* / *Ho comprato il latte.*

Il passato prossimo si forma con l'ausiliare *essere* con:

- i verbi di **movimento**: *andare, venire, partire, tornare, entrare, uscire, scendere, salire* (*Laura è partita ieri*). Fanno eccezione i verbi che indicano attività fisiche/sportive come *ballare, sciare, nuotare, passeggiare, camminare, viaggiare, guidare*, ecc. che usano l'ausiliare *avere* (*Abbiamo sciato molto*);
- i verbi di **stato**: *essere, stare, rimanere, restare* (*Ieri sono stato a Torino*);
- i verbi di **cambiamento**: *nascere, morire, diventare* (*Laura è diventata alta*);
- i verbi **riflessivi**: *lavarsi, vestirsi, salutarsi, incontrarsi* (*Vi siete incontrati a Parigi?*);
- i verbi **impersonali**: *piacere, succedere, bastare, volerci* (*Che cosa è successo?*);
- altri verbi **non transitivi**, come *cadere, riuscire* (*È caduto dalle scale*).

■ MODO IMPERATIVO

L'imperativo è usato per esprimere un ordine o un divieto, oppure per dare istruzioni e suggerimenti:

*Aprite il libro! / **Non toccare!** / Per il parcheggio **gira** a destra.*

*Per andare alla stazione, non **prenda** la metropolitana, è meglio l'autobus.*

	gir**are**	prend**ere**	sent**ire**	fin**ire**
(tu)	gir**a**	prend**i**	sent**i**	fin-**isc-i**
(Lei)	gir**i**	prend**a**	sent**a**	fin-**isc-a**
(noi)	gir**iamo**	prend**iamo**	sent**iamo**	fin**iamo**
(voi)	gir**ate**	prend**ete**	sent**ite**	fin**ite**
(Loro)*	gir**ino**	prend**ano**	sent**ano**	fin-**isc-ano**

* *Loro* è molto formale e poco usato.

❗ Per la forma negativa della 2ª persona singolare si usa *non* + verbo all'infinito:

***Non salire**, è pericoloso!*

Le altre persone hanno invece la negazione regolare: *Non corra!, Non correte!, Non corriamo!*

Alcuni imperativi irregolari

andare	vai/va'	vada	andiamo	andate	vadano
dare	dài/da'	dia	diamo	date	diano
dire	di'	dica	diciamo	dite	dicano
fare	fai/fa'	faccia	facciamo	fate	facciano
stare	stai/sta'	stia	stiamo	state	stiano
venire	vieni	venga	veniamo	venite	vengano

LA NEGAZIONE

Le frasi negative si formano con l'avverbio ***non***. La negazione ***non*** si mette prima del verbo. Con i verbi riflessivi non si mette prima del pronome riflessivo.

L'albergo non ha la piscina.

Jill non ha studiato l'italiano.

Non parlare!

Oggi non mi alzo.

❗ Per rispondere negativamente a una domanda usiamo *No*:

Sei italiano?	*No, sono inglese.*
C'è Carla?	*No.*
Ti piace il caffè?	*No, non mi piace.*

LE PREPOSIZIONI SEMPLICI E ARTICOLATE

Le preposizioni semplici sono: *di, a, da, in, con, su, per, tra/fra*).
Le preposizioni hanno la funzione di collegare tra loro diverse parti del discorso per formare dei complementi.

> *Questo libro è **di** Jean.*
> *Vado **a** casa **con** Sally.*
> *Vengo **da** Milano.*
> *Sono **in** Italia **per** lavoro.*
> *Al corso sono seduto **tra/fra** Paolo e Maria.*

Le preposizioni ***di, a, da, in, su*** quando sono **seguite da un articolo** si uniscono in una sola parola e formano una preposizione articolata: *I documenti sono **nel** cassetto, vicino **al** passaporto.*

	il	lo	la	l'	i	gli	le
di	del	dello	della	dell'	dei	degli	delle
a	al	allo	alla	all'	ai	agli	alle
da	dal	dallo	dalla	dall'	dai	dagli	dalle
in	nel	nello	nella	nell'	nei	negli	nelle
su	sul	sullo	sulla	sull'	sui	sugli	sulle

Il partitivo (di + articolo)

La preposizione *di* + articolo indica "una certa quantità di":

> *Ho comprato del pollo / dello spumante / dell'insalata / della carne / dei grissini / degli spaghetti / delle lasagne.*

Le preposizioni *dei, degli, delle* sono usate come plurale degli articoli indeterminativi:

> *C'è una casa bianca. / Ci sono delle case bianche.*

Alcune preposizioni di luogo

a	con nomi di città: *Vivo a Genova.*
in	con nomi di continenti, nazioni, regioni: *Vivo in Europa, in Inghilterra, in Galles.*
di	con nomi di città e Paesi per indicare il luogo di provenienza: *Sono di Barcellona* (= vengo da Barcellona)
da	indica provenienza: *Vengo dalla Germania, da Monaco.*
per	con il verbo *partire* per indicare la destinazione: *Domani parto per Milano.*

Alcune preposizioni di tempo

da	indica un tempo continuato di un'azione (del passato) che dura ancora nel presente: *Vivo in Italia **da** due anni;* esprime sia l'inizio (*studio l'italiano **da** ottobre*), sia la durata (*studio l'italiano **da** 6 mesi*)
da... a	indica un periodo di tempo determinato: *Lavoro **da** giugno **a** settembre, **dalle** 8 **alle** 12.*
per	esprime un tempo determinato e indica un'azione finita: *Ho vissuto in Italia **per** due anni (e non ci vivo più).*

LE CONGIUNZIONI

Le congiunzioni (o connettivi) servono a collegare due o più parole (*Paolo e Anna*) oppure due o più frasi (*Sono italiana ma abito a Londra.*).

Possono indicare:

- un semplice collegamento (*e, anche*): *Vado e torno. / Ho comprato tutto, anche il giornale.*
- un'alternativa: *Prendi il primo o il secondo? / Ti telefono o ti scrivo una mail.*
- un'opposizione (*ma, però, invece*): *Vorrei uscire, ma/però devo studiare. / Io faccio una torta, invece tu puoi fare una macedonia.*
- tempo (*mentre, quando, poi*): *Ceno e poi passo a prenderti.*
- una causa (*perché*): *Devo comprare un telefono nuovo perché il mio si è rotto.*
- conseguenza (*quindi, così, perciò, allora*): *Devo studiare, perciò non esco.*
- una condizione (*se*): *Chiamami se hai bisogno.*

SUONI E LETTERE

L'alfabeto italiano ha 21 lettere (e cinque lettere straniere: *w, y, j, k, x*).

L'alfabeto indica il modo in cui una parola è scritta. Non sempre il modo in cui una parola è scritta indica anche il modo in cui è pronunciata. Pensa per esempio alla differenza di pronuncia tra *gioco* e *gatto*.

La pronuncia di alcune lettere italiane varia da regione a regione.

Per indicare i suoni (o i foni) di una lingua si usa l'alfabeto fonetico internazionale (IPA, International Phonetic Alphabeth).

Le tabelle dei suoni e dei grafemi, con esempi, sono contenute nelle risorse online del corso (www.loescher.it/italianoperstranieri).